LEY
DOMINICAL
NACIONAL

A. JAN MARCUSSEN

AT Publications

A T   Publications
P.O. Box 68
Thompsonville, Il. 62890
Copyright 1985
A. Jan Marcussen
Printed in the U.S.A.

105th printing - 2011
35.5million in print

LOS DOS CUERNOS DE LA BESTIA 1

La nación tiembla. Los aviones con pasajeros explotan en los edificios. Montañas de fuego, acero, humo: y la gente sufriendo aterrorizada cae en las calles al mismo tiempo que los rascacielos se desmoronan en el polvo. Miles perecen.

América está en guerra. Una nueva clase de guerra llena nuestras mentes con un cuadro de las caras extrañas, bolas de fuego, mujeres gritando. Gente llena de polvo como momias corriendo de una nube; saltan los puentes.

"Estamos en guerra," el presidente dijo. El mundo nunca será el mismo. ¿El terrorismo como un pulpo gigante devorar al mundo? ¿O el mundo terminará con la tercera guerra mundial?

Ahora vamos a ir a una increible jornada detrás de las escenas y a ver cosas impactantes. Algo esta pasando en nuestro país. Algo extraño. ¿Han notado los cambios?

Asesinatos, fraudes, y engaños, han caído sobre nosotros con gran rapidez. En un respetable barrio de la ciudad de Nueva York treinta y ocho personas miran por la ventana un asesinato que tomó media hora para cometerse, ¡y nadie hizo nada!

"Treinta y ocho personas observaron a Catherine Genovese ser apuñalada una y otra vez en frente de su casa, y a nadie importó. ¡Ellos tan sólo se asomaban por sus ventanas como si estuvieran viendo el ultimo programa, se esperaron hasta que todo terminó, y luego regresaron a sus camas!"[1]

Pero las actitudes están cambiando. Un ladrón que le arrebató la bolsa de mano a una señora en la calle de una ciudad, fue perseguido por los airados espectadores, y cuando lo alcanzaron, ¡lo golpearon casi a morir! Las actitudes estãn siendo moldeadas por los horrores de nuestros tiempos. Vayamos ahora mismo entre bastidores y descubramos la historia documentada de la gran crisis que se está deslizando furtivamente sobre nuestra tierra.

Todo comienza en una isla rocosa y desnuda. Hacia el horizonte se extiende el vasto espacio de la profunda obscuridad. Una figura sola descansa en un borde estéril de roca escarpada. Su nombre, Juan, el Revelador. Está absorto en visión. ¡Lo que él ve es fantástico! Bestias extrañas. Ejércitos chocando. Naciones ascendiendo.

No es ninguna sorpresa que la nación más grande del mundo debiera ser mencionada en profecía. ¡Lo que Juan ye presagia eventos tomando forma en los Estados Unidos que definitivamente le afectarán a usted!

Mire de cerca mientras la escena se desarrolla.

"Después vi otra bestia que subía de la tierra; y tenía dos cuernos semejantes a los de un cordero, mas hablaba como un dragón." Apocalipsis 13:11. Una "bestia" en profecía representa un "reino." Daniel 7:23.

Cuando una bestia sale del "mar," ésta es representada como saliendo de entre "pueblos y muchedumbres" (un área sumamente poblada). Apocalipsis 17:15. El salir de la "tierra" es justamente lo opuesto. De modo que aquí está una nación brotando de un área desierta. En vez de derrotar a otros poderes para establecerse a sí misma, esta nación se levantaría en territorio anteriormente desocupado. Sería un país descubierto, no conquistado. A diferencia de las naciones de Europa que a menudo estaban empapadas en sangre, ésta brotaría callada y serenamente, "como un cordero."

¿Puede adivinar qué nación del Nuevo Mundo se levantó al poder, dando promesa de fuerza y grandeza, y que se apega a esta descripción? ¡Seguro! Los Estados Unidos.

Esta nación brotó como una planta del suelo. Una escritora notable del siglo pasado habla del "misterio de su desarrollo de la nada," y agrega: "como silenciosa semilla crecimos hasta llegar a ser un imperio."[2]

"Y tenía dos cuernos semejantes a los de un cordero."

"Los cuernos semejantes a los de un cordero, indican juventud, mansedumbre, y representan libertad civil y religiosa. LaDeclaración de Independencia y la Constitución reflejan estas nobles virtudes. Debido a estos principios, nuestra nación se hizo grande. Los oprimidos y los perseguidos de todos países han mirado con esperanza a los Estados Unidos."[3]

Pero la bestia con cuernos semejantes a los de un cordero "...hablaba como un dragón. Y ejerce todo el poder de la primera bestia en presencia de ella; y hace a la tierra y a los moradores de ella adorar a la primera bestia, cuya llaga de muerte fue curada. Y hace grandes señales, de tal manera que aun hace descender fuego del cielo a la tierra delante de los hombres." Apocalipsis 13:11-13.

¡Increíble!

¡Mantenga bien abiertos sus ojos! ¡Mientras se desenvuelve el drama, usted verá milagros de la naturaleza Más sorprendente!

"...mandando a los moradores de la tierra que hagan la imagen de la bestia que tiene la herida de cuchillo, y vivió." Apocalipsis 13:14.

¿Puede imaginarse a los Estados Unidos haciendo algo semejante?

¿Cómo fue posible que sucediera ésto?

¡Vea de cerca!

Los cuernos semejantes a los de un cordero y después la voz de dragón representan un cambio de personalidad. ¡Un cambio real! El que esta nación hable como un "dragón" denota el uso de fuerza. Este principio, como veremos, fue usado por la bestia semejante a un leopardo (la primera bestia) de Apocalipsis 13, ¡que impuso observancias religiosas por ley! Dicha acción por el gobierno de los Estados Unidos sería directamente contraria a sus gandes principios de libertad religiosa. La Constitución garantiza que "el Congreso no hará ninguna ley con respecto al establecimiento de alguna religión, o la prohibición del ejercicio libre de la misma."

"Mas hablaba como un dragón" —¿Nuestra nación? ¿La escucha agitarse? ¿Ha notado que las actitudes se están tornando más intolerantes y airadas últimamente? ¿Enojo contra el crimen? ¿Enojo contra la corrupción política, religiosa y social?

En vista de las horrorizantes tendencias de la época, es comprensible el por qué la nación vaya a hablar de esa manera. En un año los americanos gastaron 4 billones de dólares en pornografía. El divorcio afecta a decenas de millones de hogares, destruyendo las vidas tanto de los adultos como de los pequeños.

Los asesinatos, el rechazo a los ancianos, el abuso a las mujeres y aun a los bebés, enferman el corazón. Hombres poseídos están cobrando las vidas de hombres, mujeres y niños.

Millones de americanos adictos a la marihuana, al "crack," a la heroína y a otros químicos, miran al mundo por medio de ojos estimulados por el efecto de estos, y horrorizan a la sociedad con su comportamiento y sus crímenes resultantes.

Un informe reciente de la Comisión Federal de Comunicaciónes declara: "Entre las edades de 5 y 14 años, el niño americano promedio es testigo de la destrucción violenta de trece mil seres humanos en la televisión."[4] Un subcomité del Senado de los Estados Unidos reveló que en una década, la violencia que se ve por televisión, aumentó a un nivel alarmante, ¡y la delincuencia en la vida real creció casi el 200%!"[5]

Películas en video demasiado horribles como para mencionarse llenan las recámaras y las mentes de jóvenes y adultos.

Prostitutas, homosexuales, y drogadictos, esparcen SIDA y CRS (Complejo Relacionado con el SIDA) entre los inocentes. Las pobres víctimas dan gritos de desesperación al perecer en números cada vez mayores. Un grupo de ellos —reportó la revista LIFE— tendidos en el suelo formando un círculo, y acabando con el resto de las fuerzas que les quedaban, se reían en sucesión.[6]

En las palabras de un comentarista: "Con toda seguridad América (los Estados Unidos) se tropieza hacia el precipicio final. Dirigiéndose por un camino decadente de inmoralidad, sigue adelante con ímpetu creciente hacia el punto donde no podrá dar marcha atrás."[7]

El crimen se duplica cada década.

¿Y qué hay acerca de la economía?

El país está en quiebra. Sus deudas han llegado tan lejos que muchos se preguntan qué sucederá después. Muchas parejas pensionadas ya han perdido sus tarjetas para obtener servicios médicos, y las estampillas para obtener comestibles, o han tenido que divorciarse y vivir fuera del matrimonio para no perderlas.

La corrupción política y religiosa ha causado que aun la Constitución caiga bajo ataque. La gente está airada. La nación está airada. El cambio de los valores y la ira de los tiempos (en cumplimiento rápido de la profecía) se repiten como un eco en las palabras de un sacerdote jesuita que dijo impulsivamente: "simplemente no comprendo la reverencia... que todos aquí aparentan rendirle a la Constitución americana. Quiero escuchar a algún americano gritar poniéndose en pie, ¡queremos justicia! ¡queremos desencia! Y al... con la Constitución americana."

¿Causa alguna sorpresa que nuestra nación vaya a hablar "como un dragón"? Menos extraño es que, ministros por todo el país, en un esfuerzo por abortar el desastre nacional, muevan a millones a una acción política. El sentir es que se tiene que hacer algo. ¡Los líderes de la "Iglesia Electrónica" (programas cristianos por radio o televisión) lanzaron una campaña para despertar a 50 millones de cristianos! Hay un tremendo empuje a unir fuerzas para un bien común.

Pat Robertson, el predicador fundador del *Club 700* (un programa televisivo cristiano), y quien aspiraba a la cima del liderazgo político, dijo: "A menos que los cristianos deseen una nación y un mundo reordenado al modelo humanístico/hedonístico. es absolutamente vital que tomemos el gobierno de los Estados Unidos de las manos de la Comisión Trilateral y del Concilio de Relaciones Exteriores." El habla de regresar a Dios "para galvanizar a los cristianos hacia la acción política."[8]

El diario U.S. News & World Report declaró: "una guerra santa, política y sin precedente, está en completo movimiento en este país."[9]

Se está esparciendo el sentimiento de que solamente si regresamos a Dios podrá mejorar el estado decaído de la nación. Los líderes están diciendo que ésto puede lograrse si los cristianos se unen. Robert Grant, líder de The Christian Voice [La voz cristiana] insistió en que: "Si los cristianos nos unimos, podemos hacer cualquier cosa. Podemos aprobar cualquier ley, o cualquier enmienda. Y éso es exactamente lo que nos proponemos hacer." El declaró por televisión a nivel nacional: "Nosotros podemos hacer cualquier cosa, podemos hacerle enmiendas a la Constitución. Nosotros podemos elegir a un presidente. Podemos cambiar o hacer cualquier ley en la tiera. Y nos es necesario hacerlo. Si tenemos que vivir bajo la ley —y bien que tenemos—, nosotros debemos vivir bajo una ley moral y divina."[10] Esta no es sólo la opinión de un hombre.

En una carta escrita al líder de The Religious Round Table [La mesa redonda religiosa] se le preguntó si ahora es tiempo de que alguien influencíe legislatura para hacer del domingo un día de adoración en nuestro país.

"En respuesta, el director ejecutivo, H. Edward Rowe, escribió: 'Legislatura y proclamaciones por presidentes para impulsarla, ¡Sí!'"

La dinámica hace que no nos sorprendamos ni un poco de que los diarios y los mensajes por los medios masivos de comunicación declaren que "es la responsabilidad del gobierno declarar el establecimiento de la observancia nacional del domingo." ¡Y que "no habrá un alivio del creciente desastre económico hasta que una ley dominical nacional sea estrictamente puesta en vigor"!

No es sorprendente que en una audiencia legislativa de Carolina del Sur, las demandas para imponer una ley dominical para mejorar el estado de la sociedad, presentadas por Anderson, el representante estatal, recibieran fuertes aplausos. ¿Quién puede maravillarse de que el presidente de los Estados Unidos haya revelado su disposición para hacer lo que ningún otro presidente de los Estados Unidos ha logrado hacer? —¡apoyar legislatura que ayude a colapsar la separación de Iglesia y Estado!

"...mas hablaba como un dragón. Y ejerce todo el poder de la primera bestia..." Apocalipsis 13:11,12.

¡No hemos visto nada todavía! Prepárese para conocer algunos datos abrumadores.

La gran pregunta ahora es: ¿Quién es la primera bestia?

LA BESTIA
IDENTIFICADA 2

"**Y** yo me paré sobre la arena del mar, y vi una bestia subir del mar, que tenía siete cabezas y diez cuernos, y sobre sus cuernos diez diademas, y sobre las cabezas de ella nombre de blasfemia." Apocalipsis 13:1, 2.

Aquí está la bestia que tiene la marca espantosa. ¡Definitivamente no queremos recibir esta marca! La amonestación más terrible de todos los tiempos es dirigida en contra de ella. (Véase Apocalipsis 14:9, 10). Pero antes de que averigüemos lo que es la marca, debemos descubrir quién es la bestia, y no será difícil. De hecho, la Biblia lo hace tan claro, que únicamente pondré en lista sus características ¡y usted podrá decirme quién es! ¿Está listo?

1) Una "bestia" en profecía representa un reino, una nación, un poder. El libro profético de Daniel nos dice "Dijo así: La cuarta bestia será un cuarto reino en la tierra..." Daniel 7:23.

2) Esta bestia saldrá del "mar." Cuando una bestia surge del "mar," ésta siempre representa un poder levantándose en un área altamente poblada; entre "pueblos, muchedumbres, naciones y lenguas." Apocalipsis 17:15. Esta tendría que conquistar el gobierno existente.

3) Esta bestia tiene siete cabezas y diez cuernos. Una cabeza representa la sede de un gobierno. La cabeza de un condado es llamada la "capital de condado," —usted recordará.

Un "cuerno" representa a un rey, a un gobernante. "Y los diez cuernos significan que de aquel reino se levantarán diez reyes..." Daniel 7:24. La bestia es un poder con un hombre a la cabeza de ésta. ¡Usted encontrará que la Biblia se explica a sí misma!

4) La bestia tiene "el nombre de blaslfemia." (Apocalipsis 13:1). ¿Qué es la blasfemia?

Nuevamente la Biblia da su propia definición. En Juan 10:32, 33 dice cómo los judíos iban a apedrear a Jesús. El les preguntó por qué lo iban a apedrear y ellos le contestaron: "Por buena obra no te apedreamos, sino por la blasfemia; y porque tú, siendo hombre, te haces Dios."

¡Sorprendente! ¡Blasfemia es que un hombre se haga pasar por Dios! Por supuesto, Jesús nunca blasfemó, porque él es Dios. Pero para alguien menor que Dios, sí lo sería. Pero hay más.

En Marcos 2:5-11 se cuenta la historia de cómo un hombre paralítico quería entrar a la casa donde Jesús se encontraba. Pero había mucha gente en ella. Finalmente él persuadió a sus amigos a que lo cargaran hasta el techo de la casa de Pedro y que abrieran éste para que lo puedieran bajar dentro de la habitación donde el Salvador estaba enseñando.

¡Y bajó!

Jesús mira dentro de esos ojos suplicantes y sabe que el pobre hombre necesita obtener perdón y paz con Dios más que el sanamiento físico. Jesús le dice, "Hijo, tus pecados te son perdonados."

¿Se puede imaginar la maravillosa paz y el gozo que inundaron su alma? Pero a los líderes religiosos no les importó en absoluto el alma del hombre. Ellos trataban de captar algunas palabras de Jesús que pudieran usar en su contra para darle muerte. La Biblia dice que ellos pensaron, "¿Por qué habla éste así? Blasfemias dice. ¿Quién puede perdonar pecados, sino sólo Dios?" El Salvador conocía sus pensamientos y dijo: "¿Por qué pensáis estas cosas en vuestro corazón?" Entonces él les preguntó: "¿Qué es más fácil, decir al paralítico: Tus pecados te son perdonados, o decirle: Levántate, toma tu lecho y anda?" Jesús sanó al hombre y para sorpresa de toda la gente se levantó y salió caminando de la casa.

Una vez más, Jesús no cometió blasfemia al perdonar los pecados del hombre porque él es un miembro de la Divinidad y tenía el perfecto derecho de perdonar pecados. El podía brindarle aquellas dulces palabras de perdón a quien quisiera, y la paz del cielo misma inundaría el alma. El podía decir, "vete y no peques más," y el culpable, el despreciado, el triste, el desolado, podía levantarse con paz mental. Ellos comenzarían una nueva vida de obediencia a Dios, una vida feliz llena de paz.

Ellos podían abofetearlo, y prensar una corona de espinas en esa frente santa; podían golpearlo hasta que su espalda estuviera descarnada, pero no podían robarle su derecho regio de perdonar al mayor de los pecadores. ¡Maravilloso Jesús!

Pero para cualquiera inferior a Dios, pretender perdonar pecados es blasfemia.

Con respecto a la bestia la Biblia dice: "...y sobre las cabezas de ella nombre de blasfemia." Apocalipsis 13:1. ¡Los mismos líderes de este poder iban a pretender ser Dios en la tierra y tener el poder para perdonar los pecados del hombre!

5) "Y el dragón le dio su poder, y su trono, y grande potestad." Apocalipsis 13:2.

Es claro que la bastia obtiene su "trono" y "potestad" del dragón. Pero ¿quién es el dragón?

Aquí está. "Y prendió al dragón, aquella serpiente antigua, que es el diablo y Satanás, y lo ató por mil años." Apocalipsis 20:2. El dragón es Satanás. Pero aún hay más:

"Y fue vista otra señal en el cielo: Un gran dragón bermejo, que tenía siete cabezas y diez cuernos, y en sus cabezas siete diademas. Y su cola arrastraba la tercera parte de las estrellas del cielo, y las echó en tierra. Y el dragón se paró delante de la mujer que estaba por dar a luz, a fin de devorar a su hijo cuando hubiese nacido. Y ella dio a luz un hijo varón, el cual había de regir a todas las gentes con vara de hierro; y su hijo fue arrebatado para Dios y a su trono." Apocalipsis 12:3-5.

¡Hace algunos años un hombre en Chicago pretendió ser ese hijo varón! ¿Pudo él haber sido?

Absolutamente no.

Apocalipsis 19:15,16 nos enseña que el "hijo varón" es Cristo. Así que el "dragón" no sólo representa a Satanás, sino también a un reino por medio del cual Satanás trabajó para tratar de matar al niño Jesús tan pronto naciera. Ahora, ¿qué reino era éste cuyo rey decretó la destrucción de todos los niños recién nacidos en Belén? ¡Por supuesto! Fue el rey Herodes. El era empleado por Roma como su representante. Así que aquí está otra pista. ¡La bestia obtiene su poder, su trono, y autoridad de Roma!

Esto se está aclarando más. El dragón representa a Roma. ¡Roma fue el imperio usado por Satanás para tratar de destruir al Salvador del mundo! Ahora vamos a verlo más de cerca.

El dragón (Roma) tenía "diez cuernos." Un cuerno crece de la cabeza de un animal. Un cuerno —usted recordará— es un rey. Cuando el Imperio Romano se derribó, resultaron diez divisiones ¡Las tribus bárbaras atacaron al Imperio Romano por muchos años hasta que se quebrantó y las diez divisiones cayeron bajo el mandato de diez reyes! Estas fueron: los alemanes (en Alemania), los francos (en Francia), los burgundios (en Suiza), los suevos (en Portugal), los anglo-sajones (en Inglaterra), los visigodos (en España), los lombardos (en Italia), los vándalos, ostrogodos y hérulos. Los últimos tres fueron destruídos por el papa de Roma debido a que rehusaron convertirse en "cristianos." El ejército del emperador Justiniano, en cooperación con el papa, lanzó a los ostrogodos fuera de la ciudad de Roma. Ellos ahora se han extinguido. En el año 538 D.C., el papa tomó posesión de la ciudad despues de que el emperador había decretado que él debía ser la cabeza de todas las iglesias cristianas. Estas diez divisiones de Roma son los diez cuernos en el "dragón" (Para más detalles véase el Apéndice 1).

Ahora vea este siguiente punto sorprendente.

6) "Y todos los que moran en la tierra le adoraron, cuyos nombres no están escritos en el libro de la vida del Cordero, el cual fue muerto desde el principio del mundo." Apocalipsis 13:8.

Esto no es sólo un poder político sino también un poder religioso. Este demanda adoración —y la recibe.

7) Es un poder mundial. "...Y se maravilló toda la tierra en pos de la bestia." Apocalipsis 13:3.

Tal vez usted ya sabe quién es la "bestia."

¿Puede usted pensar acerca de algún poder mundial, político y religioso con un hombre a la cabeza que dice ser Dios en la tierra y tener el poder para perdonar pecados, y que recibe su trono y autoridad de Roma? ¿Acerca de algún gobierno eclesiástico cuyo líder es admirado por el mundo entero?

Permítame decir ahora algo de mucha importancia. Vea usted, la razón por la que Dios habla tan fuertemente en contra de la adoración a la "bestia" como lo hace, es porque él ama a la gente. El ama a toda la gente. Lector, él te ama. El sabe que una persona no puede ser feliz si sigue a este poder y recibe su marca. El sabe que "...no tiene reposo día ni noche, ni cualquiera que tomare la señal de su nombre." Apocalipsis 14:11. No hay descanso al seguir a este poder. El nos ama tanto que nos amonesta en el lenguaje más fuerte conocido por el hombre. Escuche ésto:

"Y el tercer ángel los siguió, diciendo en alta voz: Si algúno adora a la bestia y a su imagen, y toma la señal en su frente, o en su mano, éste también beberá del vino de la ira de Dios, el cual está echado puro en el cáliz de su ira..." Apocalipsis 14:9, 10. Fuerte lenguaje. El lenguaje de amor es siempre fuerte cuando es una cuestión de vida o muerte para el que ama.

Yo le pregunto a usted, ¿qué más puede él hacer? Dios envió a su único hijo para morir una muerte de infierno en nuestro lugar. Ninguno necesita experimentar esa terrible suerte de aquellos que siguen a la bestia y reciben su marca. Jesús proveyó el camino de rescate. El sufrió la agonía del Getsemaní y la tortura de su juicio burlante, donde lo golpearon hasta que su espalda era carne viva. Se arrodillaron ante él en burla y le pegaron en la cabeza con un palo hundiéndole las espinas en la frente y la sangre le corría por su cara. Véalo tambalearse en su camino hacia el Calvario. El hijo de Dios cae rostro a tierra. El soporta los horrores de nuestros pecados, mientras su sangre corre gota por gota a los pies de la cruz. Vea sus labios temblorosos mientras llora "Dios mío, Dios mío, ¿por qué me has desamparado?"

Allí colgado, como una serpiente en un poste, retorciéndose en agonía, bebiendo las últimias gotas de la ira de Dios contra el pecado.

"Como Moisés levantó la serpiente en el desierto," Jesús fue levantado por usted. ¿Se dá cuenta? El lo hizo por usted. El tomó el lugar que usted y yo merecíamos. ¿Comprende por qué razón nuestro Padre celestial está tan ansioso de que no sigamos a la bestia ni recibamos su marca? No necesitamos esta terrible penalidad. Jesús pagó nuestra deuda. Cuando los soldados estaban atravezando con clavos sus manos y sus pies, Jesús oró: "Padre, perdónalos porque no saben lo que hacen." Entonces él estaba orando por usted y por mí también. ¡El oraba por usted! ¿Lo elegirá a él ahora como su Salvador personal y lo seguirá en todo su camino?

Usted se sentirá muy feliz de haberlo hecho.

Confiando en él, obedeciéndole hasta la muerte; viviendo en su amor por medio de la oración y del estudio de la Biblia; entregándose a una total y feliz comunión con él, sólo entonces usted estará a salvo de adorar a la bestia y de recibir su "marca." ¡Sólo entonces! Pronto verá el por qué.

Otra cosa que debemos entender es que al identificar a la bestia, Dios no está hablando acerca de personas sinceras que están envueltas con ella ignorantemente. ¿Ve lo que quiero decir? Cuando él identifica a la bestia, está hablando del "sistema," los líderes, quienes saben lo que están haciendo y deliberadamente desobedecen y cambian la Palabra de Dios. ¿Lo ve? Nuestro Dios es un Padre tierno. El sólo cuenta como responsables a aquellos quienes entienden lo que la Biblia enseña y a sabiendas la desobedecen, o a aquellos quienes le dan la espalda para no escuchar su Palabra y permanecen en la ignorancia por voluntad propia.

La "bestia" existe hoy en día. Muchos cristianos honestos que están involucrados con ella, muy pronto sabrán la verdad acerca de ella. Ellos escucharán el llamado de Dios para salir de ella y le responderán. No se engañe pensando que la bestia es una computadora en alguna parte de Europa. Esa es sólo una cortina de humo para desviar a la gente del camino que marca la Biblia. La Palabra de Dios lo pone tan claro que hasta un niño honesto puede advertirlo. El próximo paso en la identificación de la bestia es sorprendente.

8) Esta bestia tiene características de las cuatro bestias (naciones) que existiron antes de ella.

"Y la bestia que vi, era semejante a un leopardo, y sus pies como de oso, y su boca como boca de león. Y el dragón le dio su poder, y su trono, y grande potestad." Apocalipsis 13:2.

¿Qué naciones son esas? De nuevo, la Biblia nos explica. Estas mismas bestias las encontramos en Daniel 7. "Estas grandes bestias, las cuales son cuatro, cuatro reyes son, que se levantarán en la tierra." Daniel 7:17. Estos son los cuatro imperios del mundo que reinaron consecutivamente desde el tiempo de Daniel hasta el tiempo de la caída de Roma. Ellos son: Babilonia (605-538 A.C.), Medo Persia (538-331 A.C.), Grecia (331-168 A.C.), y Roma (168 A.C.-476 D.C.). Ahora veamos la descripción completa de ellos en Daniel 7.

"Habló Daniel y dijo: Veía yo en mi visión de noche, y he aquí que los cuatro vientos del cielo combatían en la gran mar. Y cuatro bestias gandes, diferentes la una de la otra, subían de la mar.

"La primera era como león, y tenía alas de águila. Yo estaba mirando hasta tanto que sus alas fueron arrancadas, y fue quitada de la tierra; y púsose enhiesta sobre los pies a manera de hombre, y fuele dado corazón de hombre. Y he aquí otra segunda bestia, semejante a un oso, la cual se puso más alta de un lado, y tenía en su boca tres costillas entre sus dientes; y fuele dicho: Levántate, traga mucha carne. Después de ésto yo miraba, y he aquí otra, semejante a un tigre, y tenía cuatro alas de ave en su espalda. Tenía también esta bestia cuatro cabezas, y fuele dada potestad. Después de esto miraba yo en las visiones de la noche, y he aquí la cuarta bestia, espantosa y terrible, y en gran manera fuerte; la cual tenía unos dientes grandes de hierro, devoraba y desmenuzaba, y las sobras hollaba con sus pies. Era muy diferente de todas las bestias que habían sido antes de ella, y tenía diez cuernos. Estando yo contemplando los cuernos, he aquí que otro cuerno pequeño subía entre ellos, y delante de él fueron arrancados tres cuernos de los primeros. Y en este cuerno había ojos como ojos de hombre, y una boca que hablaba grandezas." Daniel 7:2-8.

¡Qué descripción! Aquí están, comenzando desde los días de Daniel:

El león	- -	Babilonia.
El oso	- -	Medo-Persia.
El leopardo	-	Grecia.
La bestia terrible	-	Roma.

14

Ya que la bestia con la marca tiene similitudes con estas cuatro, mirémoslas acada una detenidamente.

Babilonia, representada por el león con dos alas, gobernó al mundo cuando Daniel vivía. En la actualidad pueden verse estatuas rotas de leones con dos alas en las ruinas de la antigua Babilonia.

El león es un símbolo adecuado para Babilonia. Este fue el más grande de todos los reinos antiguos. Las dos alas nos hablan de la rapidez con la cual el "reino de oro" conquistó al mundo civilizado de ese tiempo.

¿En qué sentido la "bestia" de Apocailpsis 13 se parece a Babilonia?

La antigua Babilonia, fundada por Nimrod (véase Génesis 10), el visnieto de Noé, más de dos mil años antes de Cristo, fué una de las maravillas del mundo. Estuvo fundada en un cuadrado perfecto, circundada por altas paredes de 87 pies de grosor. Sus doscientas veinticinco millas cuadradas de superficie estaban divididas en bella simetría y entremezcladas con terrenos placenteros y con jardines. Con sus sesenta millas de foso, sus sesenta millas de pared exterior, sus portones de bronze sólido, sus jardines colgantes, su tunel subterráneo bajo el río Eufrates, su perfecto arreglo para la belleza y la defensa; esta ciudad, que en sí misma contenía muchas cosas que fueron maravillas del mundo, fue en sí otra maravilla aún más magnificente.[1]

Los emperadores babilónicos demandaban adoración como dioses. Ser apreciado y honrado es grandioso para el hombre, pero ser adorado por otros seres humanos es blasfemia. El que un hombre demande adoración es un pecado terrible contra Dios.¡ El líder de la "bestia" hace exactamente lo mismo!

¿Y qué acerca del otro reino?

Medo-Persia, conquistó a Babilonia aquella noche cuando el rey Belsasar, el último rey de Babilonia, medio borracho, ofreció una fiesta para mil de sus príncipes y bebió en las vasijas sagradas del templo de Dios. Esta fue la última fiesta, sus rodillas temblaron y poco a poco se llenó de temor al mirar una mano trazar un mensaje de juicio sobre la pared del palacio. Vea la descripción de aquella noche terrible:

"El Rey Belsasar hizo un gran banquete a mil de sus príncipes, y en presencia de los mil bebía vino. Entonces fueron traídos los vasos de oro que habían traído del templo de la casa de Dios que estaba en Jerusalén, y bebieron con ellos el rey y sus príncipes, sus mujeres y sus concubinas. En aquella misma hora salieron unos dedos de mano de hombre, y escribían delante del candelero sobre lo encalado de la pared del palacio real, y el rey veía la palma de la mano que escribía." Daniel 5:1, 3, 5.

¡Qué escena!

Belsasar se llena de temor al ver la mano escribir. Entonces llama a todos los "magos, caldeos, y adivinos," pero no le son de ayuda. Finalmente la reina sugiere que Daniel sea llamado. El corrupto rey no ignora el hecho de que Daniel se haya mostrado capaz de interpretar sueños y resolver misterios por que el Dios de los cielos estaba con él. Pero Belsasar odia a Dios y ni siquiera clasifica a Daniel entre los hombres sabios.

Pero ahora él está muerto de miedo. Daniel es llamado a entrar ante la sugerencia de la reina. Mire lo que sucede:

"Entonces Daniel fue traído delante del rey. Y habló el rey, y dijo a Daniel: ¿Eres tú aquel Daniel de los hijos de la cutividad de Judá, que mi padre trajo de Judea?" Daniel 5:13.

Después de mencionar el fracaso de sus magos al leer la escritura sobre la pared, el rey dijo: "Yo pues he oído de ti que puedes declarar dudas, y desatar dificultades. Si ahora puedieres leer esta escritura, y mostrarme su interpretación, serás vestido de púrpura, y collar de oro tendrás en tu cuello, y en el reino serás el tercer señor." Daniel 5:16.

Daniel sabía muy bien lo que sucedería esa noche. Los regalos terrenales se desvanecerían en la nada. En unas cuantas horas todos los presentes estarían muertos. El no tenía deseos de ser recompensado.

"Entonces Daniel respondió, y dijo delante del rey: Tus dones sean para ti, y tus presentes dalos a otro. La escritura yo la leeré al rey, y le mostraré la declaración." Daniel 5:17.

Después de recordarle al rey su rebelión y orgullo contra Dios, él le interpretó la escritura.

Y le fue dado un solemne mensaje:

"Y la escritura que esculpió es: MENE, MENE, TEKEL,

UPARSIN. La declaración del negocio es: MENE: Contó Dios tu reino, y halo rematado. TEKEL: pesado has sido en balanza, y fuiste hallado falto. PERES: Tu reino fue roto, y es dado a medos y persas.'' Daniel 5:25-28.

El rey quedó en silencio. ¿Puede imaginarse la desesperación? Pero no tuvo mucho tiempo para quedar en suspenso.

"Esa misma noche, Belsasar, rey de los caldeos fue muerto. Y Darío de Media tomó su reino, siendo de 62 años.'' Daniel 5:30, 31.

Ahí lo tenemos. El león alado estaba muerto. En el año 538 A.C. Medo-Persia, bajo el mando de Darío, la conquistó justamente como había sido predicho. El oso del sueño de Daniel había conquistado al mundo.

¿En qué sentido la bestia de Apocailpsis 13 se parece a Medo Persia?

Era una ley de los medo persas, que una vez que era decretada una ley, ésta permanecía y nunca podía ser abolida. El gobierno era considerado infalible.

Pronto verá que el poder de la ''bestia'' toma ésta misma línea de conducta.

Medo-Persia gobernó hasta que el imperio se encontró con un joven cuyo genio militar era poderoso, llamado Alejandro Magno.

Su sed por el poder lo llevó a ser gobernador del mundo cuando tan sólo tenía 25 años de edad.

Era el primero de octubre del año 331 A.C., cuando a la cabeza de su ejército, Alejandro luchó contra las fuerzas de los medo-persas, y los conquistó en la batalla de Arbelas. Su genio militar hizo a Grecia levantarse como el tercer imperio mundial.

El leopardo con cuatro cabezas y cuatro alas, de la visión de Daniel, había reemplazado al oso de Medo-Persia. ¿Pero por qué las cuatro cabezas?

Alejandro había conquistado al mundo, pero no se había conquistado a sí mismo. En una orgía bebió la copa de Hércules llena de alcochol. Fue una gran cantidad de alcohol. El estómago humano, difícilmente puede darle cabida a más de un litro de alcohol.

Por si fuera poco, él la bebió dos veces y fue así como murió de una fiebre a la edad de 33 años, en el año 323 A.C.

Su testamento declaraba que el reino sería para "el más fuerte." Sus cuatro generales: Casandro, Lisímaco, Seleuco, y Ptolomeo, tomaron el imperio y lo dividieron en cuatro partes. Estas cuatro divisiones están representadas por las cuatro cabezas de la bestia semejante a un leopardo.

¿Y qué hay acerca de las cuatro alas? Ellas representan prontitud, velocidad. Grecia había conquistado al mundo en sólo 13 años. Tal hazaña nunca ha sido igualada.

(Para mayor información sobre las cuatro divisiones de Grecia, vea Funk and Wagnell's New Encyclopedia [La nueva enciclopedia de Funk y Wagnell], sobre "Alejandro III," pág. 390,391).

Antes de su muerte, Alejandro había ordenado a las ciudades de Grecia que lo adoraran como a un dios. La "bestia" de Apocalipsis 13 es "semejante a un leopardo" porque ésta tomó un poco de la cultura griega y también tiene un dirigente que se hace adorar como si fuera Dios.

¿Quién es la cuarta "bestia" de Daniel 7?

"Después de ésto miraba yo en las visiones de la noche, y he aquí la cuarta bestia, espantosa y terrible, y en gran manera fuerte; la cual tenía unos dientes grandes de hierro, devoraba y desmenuzaba, y las sobras hollaba con sus pies... y tenía diez cuernos... La cuarta bestia será el cuarto reino en la tierra." Daniel 7:7, 23.

El cuarto reino representado por esta bestia terrible es Roma. Roma conquistó a Grecia en el año 168 A.C. y fue así como dio su poder a la bestia de Apocalipsis 13.

De entre la cuarta "bestia terrible" sale un "cuerno pequeño." Aquí hay algo sorprendente. La "bestia" de Apocalipsis 13, y el "cuerno pequeño" de Daniel 7, ¡son exactamente el mismo poder! El Señor no desea que nos confundamos acerca de este poder y él lo describe en ambos libros proféticos.

¿No es fantástica la profecía bíblica? Mire la descripción del "cuerno pequeño:"

"Estando yo contemplando los cuernos, he aquí que otro cuerno pequeño subía entre ellos, y delante de él fueron arrancados tres cuernos de los primeros. Y en este cuerno había ojos como ojos de hombre, y una boca que hablaba grandezas... y a tres reyes derribará.

Y hablará palabras contra el Altísimo, a los santos del Altísimo quebrantará, pensará en mudar los tiempos y la ley; y entregados serán en su mano hasta tiempo, y tiempos, y medio tiempo.'' Daniel 7:8, 24, 25.

Si usted compara esta descripción del ''cuerno pequeño'' con la descripción de la bestia de Apocalipsis 13, verá que son exactamente el mismo poder. Para la sorprendente comparación vea el Apendice 1A.

Una de las cosas más sorprendentes acerca de este poder es que ''pensará en mudar los tiempos y la ley.'' Daniel 7:25. ¡Aquí hay un hombre que se considera igual a Dios y que se atreve a alterar su ley, ''la constitución universal''! Con audacia blasfema él realiza su obra. Pero Dios ha dicho: ''Fieles son todos sus mandamientos, afirmados por siglo de siglo.'' Salmos 111:7, 8.

9) La próxima pista para descubrir quién es la bestia, es el período de tiempo el cual Dios le dió para que reinara antes de que ésta recibiera su herida de muerte. Esta reinaría por mil doscientos sesenta años. ¡El tiempo es exacto, no hay ningún error en esto, Dios repite este período de tiempo seis veces en Daniel y Apocalipsis! (Para una descripción más detallada de esta fantástica profecía basada en el tiempo véase el Apéndice 2).

Sólo una pista más antes de que le diga quién es la bestia.

Esta no es solamente el mismo ''cuerno pequeño'' de Daniel 7, sino también el mismo poder de la ''gran ramera'' que está sentada sobre la bestia bermeja de Apocalipsis 17.

''Y vino uno de los siete ángeles que tenían las siete copas, y habló conmigo, diciéndome: Ven acá, y te mostraré la condenación de la gran ramera, la cual está sentada sobre muchas aguas... y vi una mujer sentada sobre una bestia bermeja llena de nombres de blasfemia, que tenía siete cabezas y diez cuernos.'' Apocalipsis 17:1, 3.

Nuevamente vemos esas siete cabezas y diez cuernos y los hemos asociado con Roma. La ramera está controlando a Roma, montandola y sentándose en ella. ¡Resulta familiar! ¿No es así? Esto se torna aún más claro.

Esta ''ramera'' representa a un sistema eclesiástico corrupto. Y ponga atención a ésto: ''Y la mujer estaba vestida de púrpura y escarlata, dorada con oro, y adornada de piedras preciosas y perlas.'' Apocalipsis 17:4.

Esta es una iglesia muy rica.

Una mujer en la profecía bíblica representa a una iglesia. Dios compara a su rebaño con una mujer ''hermosa y delicada.'' Jeremías 6:2. Una virgen, representa a una iglesia pura, y una ramera a una iglesia corrupta.

En la Biblia es llamada ''LA MADRE DE LAS RAMERAS Y DE LAS ABOMINACIONES DE LA TIERRA.'' Apocalipsis 17:5. No es sólo una iglesia, es una iglesia madre. Es un poder mundial.

''Y vi a la mujer embriagada de la sangre de los santos, y de la sangre de los mártires de Jesús. Y cuando la vi, quedé maravillado de grande admiración.'' Apocalipsis 17:6. ¡Oh, sí! ¡Ella mata a los santos!

Esto es en realidad asombroso. ¿Por qué nuestro Padre celestial, quien es amante y bueno, hablaría así acerca de una iglesia, de sus costumbres, y la expondría ante el mundo? ¿Por qué Dios, quien es tan piadoso y lleno de amor advierte a todo aquel que sigue este poder y recibe su marca, de que terminará en el lago de fuego?

Yo creo que la respuesta es —porque es la verdad. Dios es piadoso y por eso en su amor él siempre nos dirá la verdad.

Yo se que ésto es asombroso, pero aquí hay un poder eclesiástico corrupto que Satanás ha usado para engañar al mundo entero y quitarle a los hombres la vida eterna por medio de engaños sutiles. Al igual que Nimrod y Alejandro Magno, este poder tiene líderes quienes desvían la atención y adoración de la gente del verdadero y único Dios y la dirigen a ellos mismos. Estos líderes buscan desviar la atención de muchedumbres de la verdad y de los mandamientos de Dios para enseñarles sus propias enseñanzas y mandamientos. Por eso Dios nos lo dice cómo es, porque él es amor y no desea que seamos engañados.

Y recuerde que hay muchos cristianos sinceros en esta iglesia caída, llamada ''Babilonia'' y ellos oirán el lamado de Dios a salir de ella.

''Y clamó con fortaleza en alta voz, diciendo: Caída es, caída es la gran Babilonia, y es hecha habitación de demonios, y guarida de

todo espíritu inmundo, y albergue de toda ave sucia y aborrecible.''
Apocalipsis 18:2. ''Y oí otra voz del cielo, que decía: Salid de ella,
pueblo mío, para que no seáis participantes de sus pecados, y no
recibáis de sus plagas. Porque sus pecados han llegado hasta el cielo,
y Dios se ha acordado de sus maldades.'' Apoclipsis 18:4, 5.

Ahora, ¿quién es la ''bestia''?

¿Qué poder:
1) Recibió su trono y autoridad de Roma. Apocalipsis 13:4.
2) Gobernó al mundo por 1260 años (538 D.C.-1798 D.C.).
3) Entonces recibió una herida mortal la cual más tarde sanó.
   Apocalipsis 13:3.
4) Es un poder político y religioso al cual se adora. Apocalipsis
   13:4.
5) Quebranta la ley de Dios. Daniel 7:25.
6) Tiene un líder que dice ser Dios en la tierra y tener poder
   para perdonar los pecados (lo cual es una blasfemia). Apocalipsis
   13:1.
7) Es una iglesia madre (han salido hijas de ella). Apocalipsis 17:5.
8) Hace guerra contra los santos. Apocalipsis 13:7.
9) Es un poder admirado en todo el mundo. Apocalipsis 13:3, 4.
10) Tiene ''un hombre'' como dirigente de ella, cuyo número es
    666. Apocalipsis 13:18.
11) Tiene una marca terrible, la cual, si es recibida, llevará a esa
persona a ser arrojada al lago de fuego y a perder así la vida eterna.
Apocalipsis 14:9,10?

A estas alturas la mayoría habrá descubierto que la bestia es el
papado. Están en lo correcto. Este es el único poder en la faz de la tierra
que llena todas estas características. ¿Pero qué hay acerca del **666**?

LA BESTIA
DESCRITA 3

¡ALTO! SI USTED NO HA LEIDO EL CAPITULO 2, "LA BESTIA IDENTIFICADA," NO LEA ESTE CAPITULO.

Veamos este asunto con más detenimiento para asegurarnos de que no hemos cometido un error.

"Y el dragón le dio su poder, y su trono, y grande potestad." Apocalipsis 13:2.

El emperador Justiniano le "dio" Roma al papa cuando decretó que el papa debería estar por encima de todas las iglesias cristianas de la tierra, y estableció el papado en el año 538 D.C. cuando Belisario, el genaral del emperador, sacó a los ostrogodos de Roma.

Roma le dio su "trono." ¡La profecía bíblica lo predijo cientos de años antes de que sucediera!

Desde el año 538 D.C. el papado gobernó por exáctamente 1260 años, hasta 1798, cuando algo increíble sucedió. ¡El papa fue llevado prisionero! ¡Bertier, el general de Napoleón, tomó prisionero al papa y lo llevó a Francia!

Una herida mortal. El papado había reinado exactamente 1260 años. ¿Pudo haber sido ésto una coincidencia? ¿Por qué lo hizo Bertier?

Napoleón quería gobernar el mundo. Y el papado se había entrometido en su camino. ¡Me pregunto si sabían que ellos mismos estaban realizando el cumplimiento de la profecía!

"...Y la llaga de su muerte fue curada; y se maravilló toda la tierra en pos de la bestia." Apocalipsis 13:3.

22

"En 1929, el gobierno Italiano reconoció la ciudad del Vaticano como un estado independiente. Una vez más el papa era rey. El 9 de marzo de 1929 él dijo: 'Los pueblos de todo el mundo están con nosotros.' *The San Francisco Chronicle* (La Crónica de San Francisco) publicó un resumen del pacto firmado en la primera página del periódico. Decía así: 'Musolini y Gasparri firman un pacto histórico... Sana la herida de muchos años.' ¡Esto es admirable! La Biblia profetizó que la herida sería sanada y el periódico lo confirmó con esas mismas palabras."[1]

Aunque esta gran organización no fue oficialmente establecida hasta el año 538 D.C., el apóstol Pablo vio grandes fuerzas trabajando y preparando el camino. ¿Qué estaba sucediendo en aquel tiempo, que él ya lo podía vislumbrar? He aquí lo que sucedió.

Después de que Jesús volvió al cielo, la primera iglesia creció rápidamente bajo la bendición del Espíritu Santo. Jesus había predicho el trato que su pueblo habría de recibir.

"Entonces os entregarán para ser afligidos, y os matarán; y seréis aborrecidos de todas las gentes por causa de mi nombre." Mateo 24:9.

Esto se cumplió literalmente.

Veamos esta descripción admirble. "Su ejecución fue hecha como un juego" —escribió Tácito—, describiendo las persecuciones dirigidas por Nerón. "Ellos eran cubiertos con pieles de animales salvajes y hechos pedazos por los perros. Eran colagados en cruces. Fueron quemados, envueltos en material inflamable y se les prendía fuego para iluminar la noche.

"Para escapar de la muerte, los cristianos no tenían más que negar a Cristo y ofrecer sacrificios al Emperador."[2] Algunos lo hicieron, pero muchos otros fueron torturados hasta la muerte, prefiriendo morir antes que renunciar a su Señor.

"El paganismo previó que de triunfar el Evangelio, sus templos y sus altares serían derribados, y reunió sus fuerzas para destruir al cristianismo. Los cristianos fueron despojados de sus posesiones y expulsados de sus hogares. Muchos sellaron su testimonio con su sangre. Nobles y esclavos, ricos y pobres, sabios e ignorantes, todos ellos eran muertos sin misericordia.

"Debajo de los cerros, en las afueras de la ciudad de Roma, se había cavado a través de tierra y piedra largas galerías subterráneas, cuya oscura e intrincada red de pasillos se extendía leguas más allá de los muros de la ciudad. En estos retiros los discípulos de Cristo enterraban a sus muertos y hallaban hogar cuando se sospechaba de ellos y se los proscribía... muchos 'fueron torturados, no admitiendo la libertad, para alcanzar otra resurrección mejor.' Hebreos 11:35. Se alegraban de que se los hallara dignos de sufrir por la verdad, y encontraban cánticos de triunfo en medio de las crepitantes hogueras.'"[3]

Satanás no pudo destruir a todos. Durante años los emperadores Nerón y Diocleciano los mataron por miles.

"Ustedes pueden matarnos, torturarnos, condenarnos" —dijo un cristiano a sus perseguidores—, "su injusticia es la prueba de que nosotros somos inocentes." Tertuliano, Apología, párrafo 50.

Hasta el año 313 D.C., era ilegal ser cristiano. Una persona cristiana era automáticamente un criminal. Sin embargo los seguidores de Jesús se esparcieron por doquier.

Satanás podía ver que tenía que cambiar su táctica. ¿En qué podría pensar el diablo, que le resultara mejor que matarlos?

En hacer las cosas fáciles —¡e infiltrarse! Como un general astuto, él corrompería a la iglesia desde su interior.

Miremos lo que sucede.

Un gran anuncio sale del imperio. ¡El emperador Constantino se ha hecho cristiano! Y los cristianos están eufóricos.

Ya no serían despedazados más por los perros y los leones, ni serían ya más víctimas de un engaño para ser sorprendidos a sangre fría, ni serían antorchas humanas para alumbrarles la arena a los gladiadores ¡Ahora la religión del estado es el cristianismo! ¡Las cosas están de lo mejor! —O al menos así parece.

Pero poco a poco, al relajarse todos y dejar de preocuparse por ser torturados hasta la muerte, algo ocurre. ¡Transigencia!

Gradualmente los dirigentes, por conseguir popularidad y ganancia, rebajaron las normas de conducta para así permitir con más facilidad la entrada de los paganos a la iglesia. Pero esto trae errores y costumbres paganas.

Sin sorprenderse en lo absoluto por el plan de Satanás para corromper a la iglesia —ahora desde adentro—, Dios nos da un mensaje: Escudriñad las solemnes palabras del apóstol Pablo.

"No os engañe nadie en ninguna manera; porque no vendrá (el día del Señor) sin que venga antes la apostasía, y se manifieste el hombre de pecado, el hijo de perdición, oponiéndose, y levantándose contra todo lo que se llama Dios, o que se adora; tanto que se asiente en el templo de Dios, como Dios, haciéndose parecer Dios. Porque ya está obrando el misterio de iniquidad, solamente espera hasta que sea quitado de en medio el que ahora impide." 2 Tesalonicenses 2:1-4, 7. ¡Oh, sí! ¡El lo vio venir! La misteriosa obra de corrupción rápidamente progresó después de la muerte del último apóstol.

Pregunta: ¿Qué sucedió?

Después de que cesara la persecución, el gran artificio de Satanás fue controlar a los dirigentes de la iglesia. Si él pudiera "inflar" su ego; convertirlos en amantes del dinero, el cuerpo entero se vería afectado. Sería un combate de popularidad para atraer a tantos paganos como fuera posible para ser convertidos al cristianismo. La riqueza y el prestigio de la iglesia crecerían. ¡A quién le importa si se le tiene que cambiar a la Biblia un poco para que así ellos, los paganos, puedan entrar a nuestra iglesia! ¡Sólo debemos introducir algunas de las costumbres y ritos paganos entre el cristianismo, darles nombres cristianos, y los paganos vendrán por montones!

Los apóstoles habían ido a través del imperio estableciendo iglesias en muchas ciudades. Al pasar el tiempo, iglesias más pequeñas se iban construyendo en las afueras de la ciudad. Los centros estaban en Jerusalén, Roma, y Alejandría, en Egipto. Finalmente, Roma emergió en la cumbre.

El próximo paso en el plan fue que los líderes de la iglesia tomaran control del estado (para hacer vigentes sus decretos). Y ésto se logró más allá de lo esperado. Como resultado, en el año 538 D.C., la ciudad de Roma le fue dada al papa, el obispo de esa ciudad. Durante los siguientes 1260 años, los jefes de la iglesia reinaron con toda la autoridad civil. ¡Todo justamente como lo había predicho la profecía bíblica!

¡Increíble! —Pero sorpréndase con lo siguiente:

Dice que la bestia tiene el nombre de "blasfemia." Apocalipsis 13:1. Esta vino a ser una de las principales doctrinas de la iglesia, que su líder está investido con suprema autoridad sobre arzobispos y pastores en todas partes del mundo. ¡Por si fuera poco, tomó el mismo nombre de Dios y lo llamaron "Señor Dios el papa" y fue declarado ser "infalible." (Para mayor documentación vea el Apéndice 3). El demanda la adoración de todo el mundo.

¿Qué hay acerca del 666? Hechemos un vistazo escandalizante.

En la mitra oficial del papa está escrito el título "Vicarius Filii Dei," el cual significa "Vicario del Hijo de Dios." La declaración de que éste es su título oficial ha sido afirmada a través de los años. La edición del 18 de abril de 1915 de *Our Sunday Visitor* [Nuestro visitador dominical], dijo: "Las palabras inscritas en la mitra del papa son éstas: 'VICARIUS FILII DEI,' las cuales dice en el idioma latín Vicario del Hijo de Dios."

En Apocalipsis 13:18 dice: "...Cuente el número de la bestia, que es número de hombre. Y el número de ella, seiscientos sesenta y seis."

Hagámoslo ahora y veamos el resultado. ¿Recuerda los números romanos que usted aprendió en la escuela?

V	=	5	
I	=	1	
C	=	100	
A	=	0	
R	=	0	
I	=	1	
U	=	5	La "U" y la "V" tienen
S	=	0	el mismo valor. Vea en la
			enciclopedia bajo "Alfabeto"
F	=	0	
I	=	1	
L	=	50	
I	=	1	
I	=	1	
D	=	500	
E	=	0	
I	=	1	
Total	**=**	**666**	

26

En griego, hebreo y latín, el resultado es el mismo.

Deseo mencionar que cuando una persona revela esta verdad a otra, debe hacerlo con amor y llena de tacto, y hacerle saber que Dios nos ama a todos. La verdad siempre debe ser dicha —pero siempre con amor.

Los 1260 años que el papado reinó, son llamadas la "edad oscura," o Edad Media. Estoy seguro de que usted ha oído esa expresión anteriormente. ¡La razón de que ésta fuera la "edad oscura" es porque los sacerdotes le prohibieron al pueblo leer o aun tener una Biblia propia! Durante cientos de años sólo se les permitió a los sacerdotes leerla. Satanás tenía que mantener la Biblia lejos del pueblo para tenerlos en tinieblas y superstición, así la gente no podría distinguir entre lo verdadero y lo falso. Hubo un tiempo en que si alguien era encontrado con una Biblia ¡era arrojado de su casa o quemado vivo colgando de un poste en un lugar público! (Para mayor documentación vea el Apéndice 4).

Lo que el apóstol Juan contempla enseguida es tan increíble, que él está atónito.

DINAMITA   4

¡ALTO! SI USTED NO HA LEIDO EL CAPITULO 2, "LA BESTIA IDENTIFICADA," NO LEA ESTE CAPTULO.

¿Puede usted imaginarse cristianos matando a otros cristianos? ¡Qué pensamiento tan terrible!

"Y le fue dado hacer guerra contra los santos, y vencerlos." Apocalipsis 13:7. "Y vi a la mujer embriagada de la sangre de los santos, y de la sangre de los mártires de Jesús. Y cuando la vi, quedé maravillado de grande admiración." Apocalipsis 17:6.

¡Qué cuadro! Con justa razón el apóstol Juan estaba tan asombrado. Un altero de libros no podría contener la cuenta de los 50 millones de cristianos condenados a muerte como "herejes." Por poseer una Biblia, por creer que la gente debía ser libre para adorar a Dios de acuerdo a su conciencia; por éstos y otros "crímenes," hombres, mujeres, y pequeños fueron torturados hasta morir.

La historia nos revela claramente que grandes aldeas y pueblos fueron destruídos por no identificarse con la iglesia y su líder.

"Dignatarios de la iglesia, dirigidos por su maestro Satanás, se afanaban por idear nuevos refinamientos de tortura que hicieran padecer lo indecible sin poner término a la vida de la víctima. En muchos casos el proceso infernal se repetía hasta los límites extremos de la resistencia humana, de manera que la naturaleza quedaba rendida y la víctima suspiraba por la muerte como dulce alivio."[1] Tal era la suerte de aquellos que se opusieran a la iglesia de Roma. Si se le diera oportunidad en los Estados Unidos, haría lo mismo contra los "herejes." Ella se jacta de que nunca cambia. Esto es verdad. El rector del Instituto Católico de París, H.M.A. Baudrillart, reveló la actitud de la iglesia y sus dirigentes hacia la persecución.

"Cuando se la confronta con herejías" —el dijo—, "ella no se contenta con la persuación, los argumentos de un orden intelectual y moral le parecen insuficientes y ella recurre a la fuerza, al castigo corporal, a la tortura."[2]

Para tener un cuadro más amplio de cómo los valdenses, albigenses, bohemios, y otros fueron masacrados, despreciados y secretamente asesinados por causa de su fe, véase el Apéndice 5.

La historia más extraordinaria es la de los valdenses. Ellos fueron algunos de los pocos que tenían copias de la Biblia durante los primeros años del reino del papado.

"Veían que muchos, guiados por el papa y los sacerdotes, se esforzaban vanamente por obtener el perdón mediante las mortificaciones que imponían a sus cuerpos por el pecado de sus almas... Agobiados por el sentido del pecado, y perseguidos con temor de la ira vengadora de Dios, muchos se sometían a padecimientos hasta que la naturaleza exhausta concluía por sucumbir y bajaban al sepulcro sin un rayo de luz o de esperanza.

"Los valdenses ansiaban compartir el pan de vida con esas almas hambrientas, presentarles los mensajes de paz contenidos en las promesas de Dios, y enseñarles a Cristo como su única esperanza de salvación...

"Se representaba al Salvador tan desprovisto de toda simpatía hacia los hombres caídos, que era necesario invocar la mediación de los sacerdotes y de los santos... Aquellos cuya inteligencia había sido iluminada por la Palabra de Dios [los valdenses] ansiaban mostrar a las almas que Jesús es un Salvador compasivo y amante, que con los brazos abiertos invita a que vayan a él todos los cargados de pecados, cuidados y cansancio.

"Con voz temblorosa y lágrimas en los ojos y muchas veces hincados y de hinojos, presentaban a sus hermanos las promesas que revelaban la única esperanza del pecador... Lo que se deseaba en forma especial era la repetición de estas palabras: 'La sangre de Jesucristo su Hijo nos limpia de todo pecado.' 1 Juan 1:7...

"Muchos no se dejaban engañar por los asertos de Roma. Comprendían la nulidad de la mediación de hombres o ángeles en favor del pecador...

"La seguridad del amor del Salvador era cosa que muchas de estas pobres almas agitadas por los vientos de la tempestad no podían concebir. Tan grande era el alivio que les traía, tan inmensa la profusión de luz que sobre ella derramaba, que se creían arrebatados al cielo... A menudo se proferían palabras como estas: '¿Aceptará Dios en verdad *mi* ofrenda? ¿*Me* mirará con ternura? ¿*Me* perdonará?' La respuesta que se les leía era: 'Venid a mí todos los que esteis trabajados y cargados, que yo os haré descansar.' Mateo 11:28. V.M.

"La fe se aferraba de las promesas, y se oía esta alegre respuesta: 'Ya no habrá que hacer más peregrinaciones, ni viajes penosos a los santuarios. Puedo acudir a Jesús tal como soy, pecador e impío, seguro de que no desechará la oración de arrepentimiento. "Tus pecados te son perdonados." ¡Los míos, sí aun los míos, pueden ser perdonados!'

"Había un poder extraño y solemne en las palabras de la Santa Escritura que hablaba directamente al corazón de aquellos que anhelaban la verdad. Era la voz de Dios que llevaba el convencimiento a los que oían...

"En muchas ocasiones no se volvía a ver al mensajero de la verdad. Se había marchado a otras tierras, o su vida se consumía en algún calabozo desconocido, o quizá sus huesos blanqueaban en el sitio mismo donde había muerto dando testimonio por la verdad...

"Los misioneros valdenses invadían el reino de Satanás...

"La misma existencia de estos creyentes que guardaban la fe de la primitiva iglesia era un testimonio constante contra la apostasía de Roma, y por lo tanto despertaba el odio y la persecución más implacables. Era además una ofensa que Roma no podía tolerar el que se negasen a entregar las Sagradas Escrituras. Determinó raerlos de la superficie de la tierra."[3]

El papa Inocencio VIII ordenó: "Si esa maliciosa y abominable secta de maleantes no se retracta, ¡sean aplastados como víboras venenosas!" (Véase el Apéndice 6).

No se les podía acusar de nada, moralmente hablando. Su gran ofensa era que ellos no adorarían a Dios de acuerdo a lo establecido por el papa. Por este crimen, de toda humillación, insulto, y tortura que los hombres o el diablo habían inventado, fueron ellos victimados.

"Se los buscaba para darles muerte; y con todo, su sangre regó la semilla sembrada, que no dejó de dar fruto. De esta manera fueron los valdenses testigos de Dios siglos antes del nacimiento de Lutero. Esparcidos por muchas tierras, arrojaron la semilla de la Reforma que brotó en el tiempo de Wiclef, se desarrolló y echó raíces en días de Lutero, para seguir creciendo hasta el fin de los tiempos mediante el esfuerzo de todos cuantos estén listos para sufrirlo todo 'a causa de la Palabra de Dios y del testimonio de Jesús.'" Apocalipsis 1:9, V.M.[4]

Tenga presente que estas atrocidades pasaron mucho tiempo antes de que nosotros naciéramos. Pero la advertencia contra recibir la "marca de la bestia" es ciertamente para nosotros hoy. Pronto usted sabrá lo que la marca de la bestia es.

Como hemos aprendido, este poder "pensará cambiar los tiempos y la ley." Daniel 7:25.

¿Cómo puede hacerlo?

Puesto que los paganos acostumbraban adorar imágenes, los líderes de la iglesia destruyeron el segundo mandamiento, el cual prohíbe adorar imágenes. ¡Ellos pusieron imágenes en las iglesia! ¡Pero en vez de imágenes de dioses paganos, ellos simplemente colocaron imágenes de santos muertos! A la gente le fue enseñado que éstos eran meramente para ayudarles a aumentar su aprendizaje y su devoción. Pero el resultado fue muy diferente.

Para mayor documentación de cómo fueron traídas la imágenes a las iglesias, vea el Apéndice 7.

Sabemos que él pensaría en "cambiar los tiempos y la ley."

Mire esta declaración asombrosa de un decreto oficial: "El papa tiene poder para cambiar los tiempos, para abrogar leyes y para dispensar en todas las cosas, aun en los preceptos de Cristo." Decreto de Translatic Episcop.

¡Increíble!

Cuando leí esta descripción quedé atónito. ¡Quedé paralizado con la declaración oficial del papa, por ser ésta casi palabra por palaba una referencia de la Biblia! Y en vez de dejar solos los nueve mandamientos, dividieron el décimo en dos, así que todavía serían diez. (Véase el Apéndice 8).

Satanás causó la división del segundo mandamiento. Pero él no terminó con ésto. ¡Los líderes cambiaron el cuarto mandamiento también!

El cambio del cuarto mandamiento fue hecho gradualmente en un período de tiempo para no levantar sospechas; pero el cambio fue una obra maestra de Satanás.

Este cambio fue hecho con la autoridad de la Iglesia y está documentado.

"Pregunta. —¿Tiene usted otra manera de probar que la Iglesia [Católica Romana] tiene autoridad para instituir fiestas de precepto?

"Respuesta.—Si no tuviese tal autoridad, no hubiera podido hacer aquello en que todos los autores modernos versados en religión estan de acuerdo con ella: no hubiera podido substituir la observancia del sábado, el séptimo día, por la observancia del domingo, el primer día de la semana, cambio para el cual no hay autorización bíblica." Esteban Keenan, A doctrinal Catechism [Un catecismo doctrinal] 3ª ed., pág. 174.

¡Eso es increíble!

"La Iglesia Católica,"—declaró el cardenal Gibbons— "en virtud de su misión divina, cambió el día del sábado al domingo."[5]

Nuevamente se les pregunta:

"Pregunta. —¿Cuál es el día de reposo?"

"Respuesta. —El sábado es el día de reposo."

"Pregunta. —¿Por qué observamos nosotros el domingo en lugar del sábado?"

"Respuesta —Observamos el domingo en lugar del sábado porque la Iglesia Católica transfirió la solemnidad del sábado al domingo" (Pedro Geiermann, The Convert's Catechism of Catholic Doctrine [Catecismo de doctrina católica del converso,] ed. 1946, pág. 50. Geiermann recibió la "bendición apostólica" del papa Pío X por sus trabajos, el 25 de enero de 1910).

¿Y qué dice realmente el cuarto mandamiento?

"Acordarte has del día sábado para santificarlo. Seis días trabajarás, y harás toda tu obra; mas el séptimo día será sábado para Jehová tu Dios; no hagas en él obra alguna, tú, ni tu hijo, ni tu hija, ni tu siervo, ni tu criada, ni tu bestia, ni tu extranjero que está dentro de tus puertas; porque en seis días hizo Jehová los cielos y la tierra, la mar y todas las cosas que en ellos hay, y reposó en el séptimo día; por tanto Jehová bendijo el día de sábado y lo santificó.'' Exodo 20:8-11.

¿Reconocen las autoridades católicas que en la Biblia no se ordena la santificación del domingo?

¡Sí lo reconocen! Note le siguiente:

''Podéis leer la Biblia, desde el Génesis hasta la Revelación, y no encontraréis una sola línea que autorice la santificación del domingo. Las Escrituras hablan de la observancia religiosa del sábado, día que jamás santificamos.'' (Cardenal James Gibbons, Faith of Our Fathers [La fe de nuestros padres], ed. 1923, Copyright 1885, por D. Appleton & Company, pág. 98).

Usted se puede dar cuenta, en el concilio de Trento (1545 D.C.), los líderes de la iglesia ¡dispusieron que la ''tradición'' es de más autoridad que la Biblia! Ellos creen que Dios les ha dado autoridad para cambiar la Biblia de la manera que ellos quieran. Por ''tradición'' ellos entienden, enseñanzas humanas en vez de la Palabra de Dios.

Jesús dijo: ''En vano me honran, enseñando doctrinas y mandamientos de hombres.'' Mateo 15:9.

Así como ellos trajeron imágenes a la iglesia para hacer más fácil la entrada de los paganos a ella, ¡cambiaron la Biblia por la misma razón!

¿Cómo empezó todo ésto?

El sol era el dios principal de los paganos en los tiempos de Babilonia. Como ellos adoraban al sol en domingo, los líderes de la iglesia pudieron ver que si ellos cambiaban el día de reposo del sábado al domingo, podrían lograr muchas cosas. Primero —esto los separaría de los judíos que eran odiados por los Romanos y quienes, al igual que el Señor Jesús (Lucas 4:16), habían adorado en el sábado desde el comienzo (y todavía lo hacen hoy). Segundo —esto haría mucho más fácil la entrada de los paganos a la iglesia si los cristianos se reunían en el mismo día que ellos.

Esto les dió buenos resultados. Los paganos venían a la iglesia por miles. ¡El plan satánico de transigencia estaba dando resultados! El cambio fue puesto en vigor gradualmente, pero aun así, hubieron verdaderos cristianos quienes se alarmaron, y preguntaron a los líderes por qué ellos habían osado cambiar la ley de Dios. Los líderes sabían que esto iba a suceder y tenían una respuesta preparada. Una obra maestra. Si una persona no conoce bien la Biblia, ésto suena bien.

Le fue dicho al pueblo que ahora ellos estaban adorando en el día domingo principalmente porque Jesús resucitó de entre los muertos en ese día.

No existe ni suquiera un sólo un versículo en la Biblia que nos diga que hagamos esto, pero eso es lo que a ellos se les dijo. ¿No es éso sorprendente? Tal vez usted ha escuchado eso por usted mismo.

Como usted recordará,cuando el emperador Constantino se hizo cristiano, el cristianismo vino a ser la religión oficial del estado. Como miles de adoradores del sol venían a la iglesia, no les tomó mucho tiempo en lograr obtener una influencia dominante. La mayoría de sus más altos oficiales habían sido adoradores del sol. Debido a que el gobierno Romano se estaba derrumbando,Constantino consultó con sus ''ayudantes'' y con los oficiales de la iglesia en Roma.

¿Qué debemos hacer? ¿Cómo podemos unir y estabilizar el gobierno?

El consejo de los gobernantes de la iglesia llegó oportunamente.

''Dicta una ley dominical. Forza a cada uno a honrar el domingo y a no trabajar en él.''

¡Eso era todo! Esto satisfacería a los adoradores del sol, y uniría a los paganos, cristianos, y al imperio de Roma como nunca antes.

Era el año 321 D.C. ¡Constantino —cediendo a la sugerencia de los líderes de la iglesia—, dicta la primera ley dominical! Aquí está, tomado directamente de los registros:

''Descansen en el venerable Día del Sol, los jueces y los habitantes de las ciudades, y ciérrense todos los talleres.'' Edicto del 7 de marzo del año 321 D.C., Corpus Juris Civilis Cod., libro 3, título 12, Lec. 3. (Para mayor información al respecto, véase el Apéndice 9).

Los cristianos que no aceptaban la transigencia (comprometer sus creencias) y deshonrrar a Dios se encontraban en un dilema. Satanás había alterado las cosas de tal manera que uno se veía obligado a honrar el día pagano ''del sol'' o pagaba la pena. Aún después de la ley dominical del emperador, muchos cristianos continuaron honrando y guardando el séptimo día que su Salvador había honrado y guardado. Dios sabía que éso sucedería y había predicho que el hombre de pecado "pensaría en cambiar los tiempos y la ley," Satanás estaba a punto de dar a todo el mundo su engaño.

Las Biblias fueron prohibidas por los sacerdotes. Al pasar los años, las nuevas generaciones (sin Biblias) olvidarían todo acerca del día del Señor.

No sólamente éso —de vez en cuando, grandes concilios eran celebrados por la iglesia. En casi cada uno de ellos el sábado que Dios había dado como el monumento de la creación del mundo, era más suprimido, y el domingo más exaltado. El festival pagano finalmente vino a ser considerado como "el día del Señor" (por el papa Silvestre, 314 - 337 D.C.), y los líderes de la iglesia pronunciaron el sábado de la Biblia, como una reliquia de los judíos, y aquellos quienes lo honraban, en obediencia al cuarto mandamiento de Dios, fueron llamados "herejes."

Agredir el mandamiento justamente en su centro, poner la adoración del domingo como un engaño, quitarle a la gente sus Biblias, y ordenarle al mundo entero a aceptarlo —¡éste fue el más grande de todos los engaños!

¿Ve usted?

Satanás odia al cuarto mandamieinto más que a todos los demás, porque éste es el único que dice quién es Dios —Creador del "cielo y la tierra, el mar y todas las cosas que en ellos hay," Exodo 20:11. Usted puede adorar a cualquier dios y guardar los otros nueve mandamientos (no matar, no robar, no etc.), pero al guardar el cuarto mandamiento usted está adorando al Creador del universo, quien descansó en el séptimo día y mandó a sus hijos que lo guardaran como una relación de amor entre ambos.

Al pasar los siglos, la gente, sin Biblias, olvidó el sábado del Señor y la adoración en domingo se estableció firmemente. Muchos aún en la actualidad ignoran este asunto.

Los valdenses, que he mencionado, y algunos otros grupos, durante la Edad Media poseían Biblias secretamente y guardaron el día sábado a través de la historia. Pero eran tratados como delincuentes. Cada vez que eran descubiertos, se los torturaba hasta hacerlos morir. Sus cuerpos maltratados le muestran al mundo la táctica que la bestia siempre ha usado —la fuerza.

Acerca de los fieles hijos de Dios de los últimos días, la Biblia dice: "Aquí está la paciencia de los santos, aquí están los que guardan los mandamientos de Dios y la fe de Jesús." Apocalipsis 14:12.

En tiempos modernos, los líderes que saben de lo que están hablando, admitirán que los hombres cambiaron el sábado y no Dios. Vea estas declaraciones hechas por líderes protestantes.

Un metodista: "La razón por la cual observamos el primer día de la semana, en vez del séptimo, no está basada en ningún mandamiento. Uno busca en la Escritura en vano una autorización para cambiar del séptimo día al primero." Clovis G. Chappell, Ten Rules for Living [Diez reglas para vivir], pág. 61.

Un bautista: Harold Lindsell, antiguo editor de la revista Christianity Today [El cristianismo de actual], dijo "No hay nada en la Escritura que requiera que guardemos el domingo en lugar del sábado como día de descanso." Christianity Today, 5 de noviembre 1976.

Un episcopal: "El mandamiento de la Biblia dice: en el séptimo día descansarás. Este es el sábado. En ninguna parte de la Biblia se estipula que la adoración debe ser en domingo." Toronto Daily Star, 26 de octubre 1949.

Nuestros amigos católicos saben cómo sucedió el cambio. Ellos dicen: "Observamos el domingo en lugar del sábado porque la Iglesia Católica, en el concilio de Laodicea, transfirió la solemnidad del sábado al domingo," The Convert's Catechism of Catholic Doctrine [Catecismo de la doctrina católica del converso] ed. 1946, pág. 50.

"El domingo es de institución católica; y su observancia puede ser definida sólamente en principios católcos... pues desde el comienzo de la Escritura hasta el fin de ella no hay ningún pasaje que autorice su transferencia de la adoración pública semanal, del último día de la semana al primero." Catholic Press [Prensa Católica].[6]

Dios habla del séptimo día 126 veces en el Antiguo Testamento y 62 en el Nuevo Testamento. El primer día de la semana es mencionado sólamente ocho veces en el Nuevo Testamento. Un sacerdote católico ofreció 1,000 dólares a cualquiera que encontrase en la Biblia un versículo que indicara que el domingo es ahora santo y que debe ser guardado en lugar del séptimo día. Nadie respondió. Yo mismo lo he hecho, pero no he recibido respuesta.

Para una vislumbre sorprendente de los ocho textos del Nuevo Testamento que mencionan el primer día de la semana, véase el Apéndice 10.

La Biblia dice que la bestia (el poder del cuerno pequeño) pensaría en "cambiar los tiempos y la ley." Daniel 7:25.

El segundo mandamieinto fue descartado, e imágenes fueron introducidas en la iglesia. El cuarto mandamiento es el único que involucra el factor tiempo. Vea este anuncio estremecedor:

"El papa tiene poder para cambiar los tiempos, para abrogar leyes y para dispensar en todas las cosas, aún en los preceptos de Cristo... El papa tiene autoridad, y amenudo la ha ejercido, para dispensar con los mandamientos de Cristo." Decreto de Translatic Episcop.

Recuerde que nuestro Dios es bueno y es justo. Aquellos que están guardando el día domingo y transgrediendo el cuarto mandamiento de Dios sin saberlo no están bajo condenación. Solamente aquellos que saben lo que Dios manda, y escogen deliberadamente desobedecerle, son quienes están cometiendo pecado. El enemigo de Dios sabe que transgredir uno de los mandamientos de Dios es un pecado que hiere a nuestro Salvador y que nos roba de la vida eterna con él si no hay arrepentimiento.

Satanás ha forjado esta trama tan bién que todavía muchos ministros no están al tanto de ella. Muchos líderes religiosos estan haciendo esfuerzos desesperados por mantener los hechos que involucran todo esto alejados de las gentes. Es increíble, pero cierto, que muchos ministros no hayan aprendido en la escuela nada diferente de lo que sus maestros aprendieron antes. Así pues, ellos enseñan a sus congregaciones lo que ellos han aprendido de sus maestros. Esto es perpetuado por generaciones. Esta es la razón por la cual sus propios padres o abuelos tal vez no comprendieron lo que la palabra de Dios enseña sobre el sábado. Pero cuando las personas estudian la Biblia por sí mismos honestamente —sus ojos son abiertos. Muchas personas toman la palabra del predicador como la verdad y no estudian la Palabra de Dios por sí mismos. ¿Puede usted creer esto?

Yo alabo a Dios porque miles de personas alrededor del mundo están conociendo estas verdades sorprendentes acerca del verdadero sábado bíblico de Dios y están empezando a guardarlo como día santo en amorosa obediencia al Salvador que murió para redimirlos.

Al comenzar a guardar el verdadero día de reposo de los mandamientos de Dios, éste resulta muy placentero. Dulce paz y alegría llenarán su corazón. Usted sabe que ahora no está violando ningún mandamiento, ninguna de sus palabras amantes, sino que está caminando muy cerca de su Salvador. Apocalipsis describe a los fieles de los últimos días como personas que "guardan los mandamientos de Dios y la fe de Jesús." Apocalipsis 14:12.

El diablo ha estado tratando de hacer que los predicadores digan que se les ha puesto fin a los diez mandamientos de Dios. Pero, ¿Cuándo será correcto violar los mandamientos sexto, octavo o noveno; y matar, robar o mentir? Los diez permanecen firmes o se desploman juntos porque es una dulce relación de amor entre usted y Dios. Si usted transgrede uno, usted transgrede todos (Santiago 2:10,11). Es como entre dos enamorados —es todo o nada.

Jesús dijo: "No penséis que he venido para abrogar la ley o los profetas, no he venido a abrogar, sino para cumplir. Porque de cierto os digo, que hasta que perezca el cielo y la tierra, ni una jota ni un tilde perecerá de la ley, hasta que todas las cosas sean hechas." Mateo 5:17,18. El cielo y la tierra aún no han pasado. Es cierto que somos salvados por la gracia gratuita de Dios y no por nuestra obediencia (Efesios 2:8). Yo alabo a Dios porque su salvación es un don gratuito que podemos recibir simplemente por la fe. También es verdad que si una persona desobedece persistente y voluntariamente a Dios, esta persona está exhibiendo que no ama a Dios lo suficiente como para obedecerle y no ha recibido este don gratuito. Esa persona no ha nacido de nuevo ¡El pueblo verdadero de Dios serán gentes obedientes y felices que amen a Dios tanto que preferirían morir antes que pecar más contra él! ¡La obediencia se convierte en gozo cuando usted camina con Jesús!

Para muchas personas resulta una novedad saber que Moisés recibió más de una serie de leyes. En el monte, Dios le dio los diez mandamientos que él dice que permanecerán para siempre. Moisés recibió también la ley ceremonial, la cual es discutida en el Apéndice 11. Esta ley regulaba los sacrificios de animales, y otras ceremonias. Esta fue "añadida por el pecado" y señalaba hacia el sacrificio del

Hijo de Dios en la cruz. Esta ley debía de mantener fresco en la memoria de las personas que un día vendría el verdadero sacrificio por el pecado. El inocente cordero representaba al "Cordero de Dios, que quita el pecado del mundo." Juan 1:29. Puesto que Jesús vino y murió por nosotros en realidad, es fácil ver que esta ley ceremonial ya no se necesita más.

Hubo otro juego de leyes que Dios le dio a su pueblo. Estas fueron las leyes de la salud que se encuentran en Levítico 11, y Deuteronomio 14. Debido a estas leyes, el pueblo de Dios tuvo las gentes más saludables en el mundo entero. Ellos no contraían las horribles enfermedades de las otras naciones, ni siquiera como las que tenemos hoy en día. Puesto que nuestros estómagos y cuerpos son los mismos que los de ellos, aquellos que siguen estas sabias y científicas leyes de la salud hoy en día, también cosechan los deliciosos beneficios. Simplemente no contraen el cáncer aterrador, no tienen ataques cardiacos, etc., como otros. ¡Nuestro Dios es tan amable! El hace que usted se enamore de esa amante persona —Jesús.

Fue a la ley ceremonial de Moisés a la que se le puso fin en la cruz. Esta ley tenía sacrificios de animales, ofrendas de carnes y bebidas, y siete sábados ceremoniales que rotaban a lo largo del año y caían en varios días de la semana.

Todo esto señalaba hacia la muerte del Salvador en la cruz y estas leyes para nosotros ahora no tienen valor alguno. Estas ceremonias de comidas y bebidas como ofrendas, lunas nuevas y días sábados, eran la "sombra de lo por venir, mas el cuerpo es de Cristo." Colosenses 2:16,17. Todos ellos fueron una sombra de la cruz. Pablo las llama "cédula de los ritos" (o "acta de los decretos") y aclara que a ésta, Cristo, le dio fin "clavándola en la cruz." Colosenses 2:14. Yo me alegro de que no tengamos que matar más animales, ¿y usted? Los siete sábados ceremoniales que rotaban a lo largo del año fueron abolidos con el resto de las ceremonias y fueron totalmente separados de "el sábado del Señor" que venía cada semana. No solamente quiere Dios que los suyos observen su sábado aquí en la tierra en una feliz relación con él, sino que la Biblia dice que ¡nosotros estaremos guardando el sábado en el cielo! (Isaías 66:22, 23). Para más documentación enseñando la diferencia entre la ley ceremonial y los diez mandamientos véase el Apéndice 11.

Satanás ha producido el más grande engaño en la historia de la humanidad.

Las autoridades católicas proclaman: "La Biblia dice: 'Acordarte has del día sábado, para santificarlo.' La Iglesia Católica dice, ¡no! por mi divino poder lo suprimo y mando guardar en su lugar el primer día de la semana. ¡Y he aquí, el mundo entero se inclina en reverente obediencia al mandamiento de la santa Iglesia Católica!" Padre Enright, C.S.S.R. del Redemptoral College, Kansas City, Missouri., tomando de History of the Sabbath [Historia del sábado bíblico], pág. 802.

No es sorpresa que la Biblia diga: "Y adoraron al dragón que había dado potestad a la bestia, y adoraron a la bestia, diciendo: ¿Quién es semejante a la bestia, y quién podrá lidiar con ella? Y todos los que moran en la tierra le adoraron, cuyos nombres no están escritos en el libro de la vida del Cordero, el cual fue muerto desde el principio del mundo." Apocalipsis 13:4, 8.

¡Increíble!

De todos los tiempos se ha tomado nota. Para ver cómo los días de nuestra semana son los mismos que en el tiempo de Cristo, véase el Apéndice 12.

Algunos ministros —que no tienen ni siquiera un texto Bíblico que enseñar dirán—: "No se preocupe por guardar los mandamientos de Dios, tan sólo adore a Dios cada día o elija uno de los siete." Algunos ministros altamente educados han dicho: "¡No se apure en seguir la Biblia, ésta es tan anticuada! Viva una buena vida y todo le saldrá bien." Muchos ministros cuando se les pregunta por qué se reunen en domingo en vez del sábado, honestamente responderán: "¡Yo se que el sábado es el séptimo día y la Biblia no ha cambiado, pero si yo fuera a decirles a las gentes eso, perdería mi trabajo!"

Algunos lo han perdido. Pero fue el temor a perder el trabajo y de encontrarse en problemas lo que le hizo a Pilato hacer lo que hizo. ¿Lo recuerda? Cuando la gente gritaba, "Si a éste sueltas, no eres amigo del César" (Juan 19:12), Pilato estaba asustado. Si la gente se hubiera revelado en su contra por liberar a Jesús, no podemos ni siquiera imaginar lo que le habría sucedido. ¡Esto le costaría a él su puesto y su trabajo! La historia dice así: "Y Pilato, queriendo satisfacer al pueblo, les soltó a Barrabás, y entregó a Jesús, después de azotarle, para que fuese crucificado." Marcos 15:15.

Nuevamente menciono —¡no es nada extraño que el mundo admire y adore a la bestia! ¡No es extraño! Para conservar sus trabajos y para salvar sus vidas, la gente se retracta.

Yo alabo a Dios por que miles de personas que están aprendiendo estas verdades son suficientemente honestos como para obedecer la Biblia y seguir a Jesús. Es tan claro todo en la Biblia que hasta un niño lo puede entender.

Sólo aquellos quienes aman a nuestro Padre celestial y a su hijo Jesucristo con todo su coraozón, permanecerán fieles a través de los últimos días y no adorarán a la bestia ni recibirán su marca.

Y a propósito, ¿qué significa la terrible "marca de la bestia"?

LA MARCA DE LA BESTIA 5

¡ALTO! SI USTED NO HA LEIDO EL CAPITULO 2, "LA BESTIA IDENTIFICADA," NO LEA ESTE CAPITULO.

La "marca de la Bestia" y el "sello de Dios" son directamente opuestos. Al final, cada ser humano tendrá el uno o el otro.

Aquellos que escojan el sello de Dios, estarán con Jesús en su reino maravilloso —ese esplendoroso paraíso de belleza sin igual. Esa es una tierra donde reinan el amor y la bondad, la paz y la alegría. Aquellos que elijan la marca de la bestia serán arrojados al lago de fuego.

Si hay algo que no queremos —¡es la marca de la bestia!

Ahora estamos listos para descubrir el mayor de todos los engaños, la falsificación que engañará al mundo y lo hundirá en una desesperación. Veamos lo que Dios dice acerca de esta terrible marca.

"Y el tercer ángel los siguió diciendo en alta voz: Si alguno adora a la bestia y a su imagen, y toma la señal en su frente, o en su mano, éste también beberá del vino de la ira de Dios, el cual está echado puro en el cáliz de su ira; y será atormentado con fuego y azufre delante de los santos ángeles, y delante del Cordero." Apocalipsis 14:9,10.

Hay dos maneras fáciles para saber en qué consiste la marca de la bestia. Primero: pregúntele a la bestia cuál es la marca de su autoridad. Ella le dirá francamente. Segundo: encuentre cuál es el "sello de Dios" y verá que la "marca de la bestia" es justamente lo opuesto.

La razón por la cual se da tal advertencia en contra de la aceptación de la marca de la bestia, es porque al recibirla se comete un gran pecado contra Dios. Este es el porqué quienes la reciben, se perderán. Aquellos que elijan el sello de Dios estarán mostrando su amor y lealtad a él en lugar de la bestia, ¡aun cuando tengan que enfrentar la muerte! ¡Oh, sí! la Biblia revela que se aplicará presión (el método favorito de la bestia). Aquellos que lo rechazen serán perseguidos, boicoteados, no se les permitirá comprar o vender, y serán finalmente sentenciados a muerte!

Demos un vistazo a estas palabras asombrosas. Note que esta vez será la "imagen de la bestia" quien pondrá en vigor el decreto de muerte.

"Y le fue dado que diese espíritu a la imagen de la bestia, para que la imagen de la bestia hable; y hará que cualesquiera que no adoraren la imagen de la bestia sean muertos... Y que ninguno pudiese comprar o vender, sino el que tuviera la señal, o el nombre de la bestia, o el número de su nombre." Apocalipsis 13:15,17.

No importa de qué lado usted mire ésto, hay una crisis que se está apoximando a nuestro mundo. Hay quienes ya pueden verla y saben que no tardará.

Aquellos que aman a Dios de todo corazón no cederán con la presión, venga lo que venga. Ellos permanecen firmes haciéndole frente a la muerte, y reciben el sello del Dios viviente en sus frentes. ¿Es ésta la elección de usted? Esto no es una cosa trivial —es un asunto de vida eterna, o lo opuesto.

Veamos lo que la Biblila dice con respecto al sello de Dios:

"Y vi a otro angel que subía del nacimiento del sol, teniendo el sello del Dios vivo; y clamó a gran voz a los cuatro ángeles, a los cuales era dado hacer daño a la tierra y al mar, diciendo: No hagáis daño a la tierra, ni al mar, ni a los árboles, hasta que señalemos a los siervos de nuestro Dios en sus frentes." Apocalipsis 7:2, 3.

"Vientos" en profecía simbolizan contiendas y guerras. Una

guerra mundial se aproxima, como pronto lo veremos. Pero aquí, los ángeles la están reteniendo hasta que los siervos de Dios puedan tener una oportunidad de recibir su sello. Esto ya podía haber sucedido, pero Dios en su gran amor y misericordia lo está reteniendo —sólo por un poquito más de tiempo. Han habido "cortinas de humo." Las "superpotencias" y otras naciones han tenido un buen número de "diálogos de paz." Las naciones han estado hablando de paz mientras se preparan para una guerra de "alta tecnología." Se proclama "paz, paz,"— cuando la paz no existe.

No es ningún accidente el que "la marca de la bestia" no haya sido puesta en vigor todavía. ¡Pero pronto los ángeles soltarán los vientos! Ya sea por televisión, por radio, o al ver en las cortes la persecución de otros que tengan el sello de Dios, la gente conocerá la diferencia entre el "sello" y la "marca" y tomará su posición. ¡Tal vez este mismo libro sea un método que Dios haya escogido para que usted averigüe esos hechos fantásticos! No es una mera coincidencia el que usted se encuentre leyéndolo ahora. Dios está esperando a que los sinceros y humildes hijos de Jesús conozcan los grandes sucesos involucrados, y que sean capaces de recibir su sello, el cual Satanás ha tratado de alejar de ellos.

¡Cuando todos comprendan estas verdades, y tomen su decisión final, será el tiempo del fin! Será entonces cuando termine el tiempo de gracia para los humanos, cuando las siete últimas plagas caigan, la última gran batalla en la tierra acontezca, (veremos estos temas en breve). ¿Dónde estará usted entonces? ¿En qué grupo? ¡Eso depende de la elección que ahora haga!

Antes que nada, ¿qué es el sello de Dios? Un sello es algo que tiene que ver con asuntos legales. Toda ley es estampada con el sello del gobierno correspondiente. Un sello tiene tres partes:

1) El nombre del gobernante.

2) El título del gobernante

3) El territorio sobre el cual gobierna.

Cuando el sello gubernamental está en una ley, o en una moneda, estos son oficiales. Como muestra de lealtad, la nación entera los respalda. El sello de Dios hace a su ley oficial y como muestra de lealtad el universo entero la respalda.

A cualquiera que es desleal al sello del gobierno, y a la ley a la cual está ligado, se le mira como un ser desleal al gobierno mismo.

De la misma manera en que el sello de un gobernante se coloca en su ley para hacerla oficial, el sello de Dios está en su ley. He aquí lo que Dios ha dicho: "Ata el testimonio, sella la ley entre mis discípulos." Isaías 8:16.

¿Dónde hemos de ser sellados? En nuestra frente. Su ley está en nuestros corazones. En el Nuevo Testamento su promesa es:

"Este es el pacto que haré con ellos después de aquellos días, dice el Señor, daré mis leyes en sus corazones, y en sus mentes las escribiré." Hebreos 10:16.

El Espíritu Santo pone el sello de Dios en nuestras frentes cuando lo escojemos. La frente contiene el lóbulo frontal. En esta sección del cerebro es donde está nuestra conciencia. Cuando usted recibe el sello de Dios en su frente, esto quiere decir que usted lo lleva en su conciencia. Usted llega a creer en él. Usted le es leal y fiel.

Así como el regidor de un gobierno utiliza su "sello" gubernamental para poner en vigor las leyes del territorio, Dios usa su "sello" para poner en vigor su ley. La bestia usará su sello (marca), para tratar de poner en vigor su ley en lugar de la ley de Dios.

¿Dónde encontrará usted el sello de Dios con sus tres partes? Está en el mismo centro de su santa Ley. Observe con detenimiento:

"Acordarte has del día de reposo (sábado) para santificarlo; seis días trabajarás, y harás toda tu obra; mas el séptimo día será reposo para Jehová tu Dios; no hagas en él obra alguna, tú, ni tu hijo, ni tu hija, ni tu siervo, ni tu criada, ni tu bestia, ni tu extranjero que está dentro de tus puertas; porque en seis días hizo Jehová los cielos y la tierra, la mar y todas las cosas que en ellos hay, y reposó en el séptimo día; por tanto, Jehová bendijo el día del sábado y lo santificó." Exodo 20:8-11.

Este es el único lugar en la Biblia donde usted encontrará el sello de Dios, estas son las tres partes del sello:

1) Su nomre   - "Jehová"
2) Su título   - "Tu Dios" (El Creador)
3) Su territorio - "Los cielo y la tierra, el mar y todas las cosas que en ellos hay."

No le extrañe que Satanás haya trabajado tan arduamente para ocultarnos la verdad del sagrado sábado. ¡Esta es la señal de Dios!

Quizá usted se pregunte: ¿Es el sábado verdaderamente el sello de Dios? Vea lo que dice Ezequiel 20:12: "Y les dí también mis sábados, que fuesen por señal entre mí y ellos, para que supiesen que yo soy Jehová, que los santifico." "Y santificad mis sábados, y sean por señal entre mí y vosotros, para que sepáis que yo soy Jehová vuestro Dios." Ezequiel 20:20. (La palabra "señal" significa lo mismo que "sello" —véase Romanos 4:11).

¿Podría ser más claro? El sello de Dios es su sábado.

¡Satanás sabía que tenía que trabajar en esta mismísima parte, y por supuesto, la bestia lo ha roto y lo ha substituído!

Observe esta asombrosa declaración con respecto a "su" hecho de cambiar el sábado de Dios al domingo, "por supuesto, la Iglesia Católica admite que este cambio es "suyo." Y este hecho, es la marca de su poder eclesiástico y su autoridad en materias de religión."[1] La observancia del domingo es la marca de la autoridad del papado. La marca. ¡La adoración del día domingo "es la marca de la bestia"!

Dios dice que él es el Dios verdadero. El ha dado su sábado como una señal de su autoridad, como Creador de todo. Guardándolo, reconocemos su autoridad. La Iglesia Católica dice al respecto:

"¡No! guardad el primer día de la semana, y he aquí, la entera civilización se inclina en reverente obediencia a la orden de su Iglesia Católica."[2] "Esta es la MARCA de nuestra autoridad para revocar la ley de Dios."

Pero, ¿qué hay acerca de nuestros seres queridos que están observando el día domingo y no conocen la verdad? ¿Tienen ellos la marca de la bestia?

¡No! solamente aquellos que saben que están violando el cuarto mandamiento de Dios son responsables. La Biblia dice: "El pecado, pues, está en aquel que sabe hacer lo bueno, y no lo hace." Santiago 4:17. Usted y yo sabemos ahora y somos responsables. Pronto todos lo conocerán. Dios está haciendo de esta verdad la gran pueba para el mundo en los últimos días. Esta separará a aquellos que aman a Dios lo suficiente como para obedecerlo, aun en medio de persecución, de aquellos que meramente se dicen ser cristianos, pero, que como Pilato

46

comprometerán sus sentimientos para seguir con la mayoría, y terminarán siendo sellados con la marca de la bestia. La "marca" no será oficialmente recibida hasta que ésta sea puesta en vigor por la "bestia de dos cuernos" de Apocalipsis 13.

Ciertamente no queremos herir a nuestro Salvador violando ninguno de sus mandamientos. Esto entristece su corazón. El pecado le hiere más que nada. El sufrió agonía en la cruz para borrar nuestros pecados. La sangre corrió por todo su cuerpo. Su amor por nosotros es muy tierno. Aquellos que reciben voluntariamente la marca de la bestia, están hiriendo el corazón de nuestro amante Dios. Cuando elegimos amar todos sus mandamientos, lo enaltecemos.

Cuando usted comienze a adorarle en forma especial en Su sábado, él hará de este día el más feliz de toda la semana. Usted podrá poner a un lado sus preocupaciones y sus labores por todo un día y tener un hermoso descanso con Jesús, no sólo físicamente, sino descansará su alma, tendrá paz gozosa y libertad de culpa.

Si usted tiene que trabajar en sábado, él puede ayudarle en éso también. Nunca le he visto fallar. Aquellos que han determinado observar el sábado no trabajando en él, reciben de Dios su especial cuidado y su milagrosa providencia. El le ayudará a obtener el día libre en su trabajo, o si usted tiene que perder su trabajo, ¡él le dará a usted uno mejor! Se lo garantizo. ¡Ese es Dios! Ese es nuestro buen Padre celestial.

Cada persona sobre la tierra será probada en este mismo punto. Millones alrededor del mundo han descubierto estas maravillosas verdades como usted, y están regocijándose, caminando muy cerca del Señor, mucho más que antes.

Aquí hay otra pregunta, ¿qué significa recibir la marca en su mano?

Recuerde, recibirla en su frente significa que usted cree en ella, usted es fiel a ella. (También habrá una marca externa de algún tipo por medio de la cual las personas sean capaces de ver quién tiene la marca y quién no. Estudiaremos ésto en seguida). Recibirla en la mano significa que cuando la marca sea puesta en vigor por "la imagen de la bestia," ellos la seguirán, no porque crean en ella, sino para poder tener la ventaja de comprar y vender, para conservar sus trabajos y para salvar sus vidas. La mano es un símbolo de trabajo con el cual se gana el sustento diario.

¡Este es un pensamiento abrumador! ¿Cómo podría suceder algo así en nuestro país, que es un país libre? Si la "imagen de la bestia" trata de forzar a que cada uno reciba "la marca de la bestia," ¿cómo lo logra? De todas maneras, ¿quién es la "imagen de la bestia" aquí descrita?

LA IMAGEN DE LA BESTIA   6

¿Quién es la imagen de la bestia?

¿Qué es lo que hace?

¿Quién le da poder?

Esto se vuelve más explosivo a medida que avanzamos. Todo lo encontramos en Apocalipsis 13. He aquí el cuadro:

"Después ví otra bestia que subía de la tierra; (Sabemos que esta bestia es los Estados Unidos) y tenía dos cuernos semejantes a los de un cordero, mas hablaba como un dragón. Y ejerce todo el poder de la primera bestia en presencia de ella; y hace a la tierra y los moradores de ella adorar a la primera bestia, cuya llaga de muerte fue curada... Y le fue dado que diese espíritu a la imagen de la bestia, para que la imagen de la bestia hable; y hará que cualesquiera que no adoren la imagen de la bestia sean muertos. Y hacía que a todos, a pequeños y grandes, ricos y pobres, libres y siervos, se pusiese una marca en su mano derecha, o en la frente, y que nadie pueda comprar ni vender sino el que tenga la marca o el nombre de la bestia o el número de su nombre." Apocalipsis 13:11, 12, 15-17.

Aunque esto parezca imposible, la Palabra de Dios dice que esto sucederá.

Primero, permítame decirle que yo amo a mi país. Acabo de volver de Europa y me siento muy contento de haber regresado. Pero ésto es lo que dice la Palabra de Dios.

¡Los Estados Unidos (la bestia de dos cuernos), hará que todos adoren a la primera bestia e impondrá la marca de la primera bestia por ley! La palabra "hacía" en el original griego sinifica "forzar."

Una ley dominical nacional será impuesta en nuestro país. En el capítulo uno ya hemos visto que está en camino y vimos también las razones.

Ya hemos aprendido que la bestia de dos cuernos es los Estados Unidos de Norteamérica. La primera bestia es el papado. La imagen de la bestia es un poder religioso tal como la bestia en nuestro país que enseña muchas de sus mismas doctrinas falsas —que es la mayoría del mundo protestante.

Para decirlo claramente, Apocalipsis 13 nos está revelando la verdad sorprendente de que la América protestante hará que todos adoren al papado y reciban su marca al dictar una ley dominical nacional y que todos los que no se apeguen a ella ¡sufran las consecuencias!

Cuando el hombre llegue al fondo de la decadencia espiritual y dicte esa ley, no creará solamente una "imagen" a la bestia en nuestro país, y copiará el antiguo principio papal de persecución, sino que establecerá el procedimiento para que todos reciban la "marca de la bestia."[1]

¡Todo este asunto se está aclarando! ¿Ve usted? No será la bestia quien ponga en vigor su "marca" por medio de una ley en nuestro país, sino que de esto se encargará su "imagen" —la América protestante.

Es así como seremos forzados a obedecer las leyes de nuestro país y a desobedecer a Dios, o a desobedecer las leyes de la tierra y obedecer la ley del Señor. ¡Esta será una verdadera prueba! ¡Si usted le es fiel y leal a Dios, entonces se encontrará por un corto tiempo, antes de que Cristo venga, sin trabajo, sin el derecho de comprar o vender y aun bajo la pena de muerte!

¿Suena como algo imposible? ¡Ya está en progreso!

Grupos religiosos grandes, tales como *The Lord's Day Alliance* [la Alianza del día del Señor] lo quieren y ya tienen artículos impresos al respecto. ¿Se está desmoronando el principio de la "separación de Iglesia y Estado"?

La revista católica nacional, Catholic Twin Circle, dijo: "Todos los americanos harían bien en solicitar al presidente y al Congreso que hagan una ley federal —una enmienda a la Constitución si hace falta— para restablecer el Sabbath (refiriéndose al día domingo)como el día de reposo nacional."[2]

Estos poderosos grupos religiosos tienen interéses genuinos. También tienen buenos propósitos para los cuales están trabajando —programas de televisión más selectos, salvar a la familia, etc. Pero de lo que ellos no se dan cuenta es que cuando los Estados Unidos en realidad aprueben la ley dominical nacional, quitarán la libertad religiosa de aquellos que elijan observar el día de Dios en lugar del día del sol, el cual la Iglesia Romana ha traído de la costumbre pagana de adorar al sol —¡Es así como se pondrá en vigor la "marca de la bestia"! Aquellos que acepten esta ley opresiva estando concientes de lo que están haciendo, recibirán definitivamente la "marca de la bestia." ¿Por qué?

Porque desobedecerán el mandamiento de Dios por obedecer la tradición de los hombres. Jesús dijo: "Y en vano me honran, enseñando como doctrinas que son mandamientos de hombres." Marcos 7:7.

No me mal interpreten. Yo amo a mi país y a mi presidente. Lo único que estoy haciendo es compartir con ustedes esta verdad.

Si estos acontecimientos, la ley dominical nacional, y la persecución, le han impresionado y aún le dan vuelta en su mente (como lo hicieron en la mía), todo lo que yo puedo decirle es —¡acérquese a Dios como nunca antes lo había estado en su vida! El le ayudará. Estos acontecimientos se acercan velozmente.

Aunque usted no lo crea, en el estado de Virginia, mi estado natal, ya se ha hecho. Me refiero a ¡una ley dominical mandatoria —¡y la sentencia de muerte!

En 1610, la primera ley dominical de América, surgió en el estado de Virginia, y requería: "Cada hombre y mujer irá por la mañana al servicio divino y a los sermones predicados en el día de reposo (domingo) , y al catecismo, so pena de perder a la primera falta su puesto y toda la pensión de la semana siguiente; y de perder a la segunda la pensión ya mencionada y además ser azotado; y por la tercera sufrir la muerte" Laws and Orders, Divine, Politique, and Martial, for the Colony in Virginia [Leyes y ordenes, divinas, políticas y marciales, para la Colonia en Virginia]: establecidas primero por Sir Thomas Gates, caballero y teniente general, el 24 de mayo de 1610.

¿Sabía usted que las antiguas leyes dominicales están todavía en los libros de Virginia? Estas nunca han sido quitadas.

"Esto es anticonstitucional" —dijo un abogado que vive en Richmond, Virginia (hablando de la ley dominical de allí)—, "es una ley religiosa y por lo tanto es anticonstitucional." Pero aún está allí.

Muchos otros estados han tenido estas "leyes azules" (leyes puritanas severas) puestas en vigor de vez en cuando durante los últimos doscientos años. Muchas de estas leyes se encuentran "dormidas" esperando ser "despertadas."

¿Ve? Dios sabe de lo que está hablando y él nos ha dado una advertencia, una advertencia amorosa.

Tarjetas de identificación, números, —algo similar le permitirá a los observadores de la ley dominical comprar y vender. Ellos gozarán de estos beneficios "temporales." Se ejercerá una tremenda presión para hacer ceder a los fieles.

¿Qué es lo que agitará a la gente para introducir una ley dominical nacional?

El crimen será un factor decisivo. ¿Ha notado usted que la sentencia de muerte está regresando de nuevo? ¡Sí! El crimen ha llegado a proporciones incontrolables. La gente tiene miedo. La gente está airada contra el crimen —y es esto lo que está trayendo de nuevo a la sentencia de muerte. ¿Por qué? Hace algunas horas me detuve en la oficina de correos. Al mirar el encabezado del periódico en el estante, tuve que comprar uno. El encabezado decía así: "SE ORDENA LA EJECUCION DE UN ASESINO."

Fue dada la orden de ejecución para un hombre joven que asesinó a una niña de dos años de edad de Wildwood, Florida. La infante fue robada, violada, y enterrada con vida. ¡Caray! Usted puede ver el porqué, con crímenes de tan tremenda magnitud, está regresando la sentencia de muerte.

El mismo juez pronunció que esta acción fue "perversa, malvada, atroz, y cruel." Citrus Chronicle News.

"Varios miembros de la familia del joven asesino —dijo el periódico—, besaron y abrazaron al juez al terminar el juicio y dictar la sentencia."

La Biblia, en varias partes, pronuncia la sentencia de muerte por los crímenes de asesinato, violación, espiritismo (brujería), homosexualismo, etc. (Génesis 9:5, 6; Deuteronomio 22:25-29; Levítico 20:13; Exodo 22:18). El año pasado había menos de cuatrocientas personas en lista, esperando la sentencia de muerte en los Estados Unidos. ¡Actualmente se calculan 1100! La opinión pública, que hasta hace poco estaba en contra de la pena capital, ahora la favorece dos contra uno. De acuerdo a la profecía Bíblica, ésta ha de retornar.

¡Será usada contra aquellos que aman y obedecen a Dios! "Y le fue dado que diese espíritu a la iamgen de la bestia, para que la imagen de la bestia hable; y hará que cualesquiera que no adoraren la imagen de la bestia sean muertos." Apocalipsis 13:15.

Hace apenas algunos días, en una calle de Atlantic City, Nueva Jersey, un grupo de personas habló con un hombre que guarda el sábado bíblico. Ellos le preguntaron (su nombre es Tony), "¿qué harías tú si te fozaran a guardar el domingo ahora en lugar del sábado? —y posterormente agregaron— ¿Y qué tal si te costara la vida?

"Ustedes pueden tomar mi vida —dijo Tony—, yo sigo la Biblia."

¡Sorprendente! ¿Sabía ese grupo de personas en la calle lo que estaban diciendo?

¿Sabe la gente en realidad lo que está sucediendo? Emplear la fuerza implica emplear los métodos del "dragón." Yo le pido a Dios que él retenga tales atrocidades en nuestro país. Yo siento gratitud al saber que él lo hará, —"hasta que los siervos de Dios sean sellados en sus frentes."

La segunda razón por la cual se insiste en una ley dominical, es la gran crisis económica. Usted está tan enterado que ni siquiera necesito comentarlo.

La tercera razón son los líderes religiosos, para variar, ellos están agitando a la nación para esta ley, de la cual harán a la gente pensar que es indispensable. Como ya hemos visto en el capítulo uno, los medios masivos de comunicación ya han hecho circular en todo el país la necesidad de esta ley, sugiriéndole a las multitudes que "no se evitará el desastre económico hasta que la ley dominical nacional sea estrictamente puesta en vigencia por decretos y acciónes gubernamentales."[3] Ahora podemos ver claramente usted y yo que éste es un cumplimiento de la profecía —instar a la nación a que ponga en vigor la "marca de la bestia." Pero para la persona común que conoce muy poco de la Biblia, esta petición le parece muy buena.

Algo más que contribuirá a que llegue son los milagros. Ha notado usted ultimamente el tremendo interés que ha surgido en lo sobrenatural? Dios es verdaderamente un Dios de milagros, y por ésto muchos creen que todos los milagros provienen de Dios. Al no conocer sus Biblias serán más fácilmente engañados por los "milagros" satánicos. La Biblia dice:

"Y vi salir de la boca del dragón, y de la boca de la bestia, y de la boca del falso profeta, tres espíritus inmundos a manera de ranas. Porque son espíritus de demonios, que hacen señales (milagros), para ir a los reyes de la tierra en todo el mundo, congregarlos para la batalla de aquel gran día del Dios Todopoderoso." Apocalipsis 16:13-14.

El punto aquí presentado es que también los espíritus malignos obran milagros como lo hace Dios. Por estos medios ilusorios, todo el mundo será engañado y adorará a la bestia y recibirá su marca. ¡Por medio de los milagros, muchos creerán trner una evidencia concluyente de que la opresiva ley es de Dios y que ellos deben acatarla para salvar la economía y la nación!

Una de las muchas maneras en que estos milagros mentirosos engañarán a millones, es el tratar de contactar seres queridos muertos que supuestamente se estén comunicando desde el cielo. Para la gente que no conozca la palabra de Dios —¡este será un engaño abrumador! La Biblia prohíbe a todos el tratar de comunicarse con los muertos, porque cuando lo hacen están invitando a los espíritus malos a hablar con ellos. En tiempos Bíblicos quien hacía ésto era condenado a muerte.

¡Pero esta sociedad moderna caerá en el mismo abismo! Satanás lo tiene todo preparado. "De acuerdo a las estimaciones hechas por *The Greeley poll*, ¡uno de cada cuatro americanos ha tratado de establecer contacto con los muertos! Y la mitad de las viudas en Los Estados Unidos, e Islandia ¡admiten la comunicación con los muertos![4]

Para que la ley dominical sea dictada, primero debe ser afectada la Constitiución. El gran principio de separación entre Iglesia y Estado debe primero ser minado (principalmente la primera enmienda).

¿Ha notado últimamente a alguien hablar de hacer un cambio a la primera enmienda de la Constitución? Varios estados ya han solicitado una convención constitucional; ¡pero el hecho alarmante es que muchos líderes ni siquiera creen ahora que la separación entre la Iglesia y el Estado exista! De acuerdo a la profecía, estos grandes principios constitucionales serán repudiados. Pero Dios espera que nosotros, como sus hijos, hagamos todo lo posible por detenerlo. Los peregrinos derramaron su sangre para dejarnos una nación libre de persecución religiosa y de toda intolerancia ¿Hemos de permitir que nuestra libertad religiosa se valla por la alcantarilla sin hacer algo al respecto?

Las iglesias que tengan en común la observancia del día domingo se unirán en un gran movimiento para que todo el mundo pueda ser convertido. Los líderes religiosos ya han estado incitando a sus feligreses a la política. (Puesto que la ley dominical será una ley religiosa, tiene sentido que el diablo trate de impulsar las iglesias a la política, y trate de colapsar la separación de Iglesia y Estado para obtener leyes religiosas. Es realmente escandalizante pero la mayoría de los líderes tanto políticos como religiosos se encuentran ahora en contra de la separación de Iglesia y Estado. ¿Ya lo ha notado? Ellos no están tratando de ocultarlo. ¡Oh, sí! Es algo escandalizante.

La ley dominical será vista como la única solución a los horrendos problemas existentes, y para unir a todo el mundo cristiano.

Un escalofrío me sobrecogió a media noche, al escuchar en la potente emisora de AM cerca de Washington D.C., a una voz profunda que declaraba que la maldición de Dios descansa sobre nosotros y no será retirada hasta que toda la nación se vuelva a Dios guardando el domingo como día santo. Serán los líderes religiosos los que en gran medida llevarán a todos a "adorar a la primera bestia" (Apocalipsis 13:12). Para adorar a la primera bestia usted no necesita ser miembro de una iglesia en especial. Todo lo que usted tendría que hacer es seguir la marca de su autoridad en vez de la señal de la autoridad de Dios —y usted estará honrrando a ese poder más que al poder de Dios; ante la vista de Dios —la estará adorando.

¡Aunque usted no lo crea, la Biblia predice que las atrocidades de la Edad Media se volverán a repetir! ¡La sociedad está siendo manipulada a cierto grado que, en el futuro cercano, "recibir la marca de la bestia" será lo más popular! "Y vi una de sus cabezas... y se maravilló toda la tierra en pos de la bestia. Y adoraron al dragón que había dado la potestad a la bestia, y adoraron a la bestia, diciendo: ¿Quién es semejante a la bestia, y quién podrá lidiar con ella?" Apocalipsis 13:3, 4. Aquellos que se atrevan a oponerse a esta Ley serán los "tachados por la sociedad." Lo peor que se le puede decir hoy día a una persona es que pertenece a un "culto" o una "secta." Aquellos que se opongan a la marca de la "bestia" serán vistos como "culteranos." Tendrán conflicto con las autoridades. Y cuando las multas y toda clase de sanciones económicas fallen, entonces serán condenados a muerte, Apocalipsis 13:15-17.

Hombres, mujeres, y niños de todas las clases sociales, estarán huyendo para salvar sus vidas y se esconderán en las áreas más desoladas, o si son capturados, serán llevados a las prisiones para esperar allí su castigo. Las guerras, las contiendas, y las terribles calamidades serán el motivo de acusación contra ellos. Al igual que su Salvador y los millones de mártires anteriores a ellos, serán rechazados por sus familiares, maltratados y considerados como los "pobres tontos por los que nos ha venido este mal."

Cuando estos hombres leales sean llevados a la corte por causa de su fe, las verdades del sábado de Dios se darán a conocer por todas partes del mundo. La verdad acerca del cuarto mandamiento de Dios, será vista en contraste con el falso día que la imagen de la bestia está tratando de implantar por ley. Sin embargo, la contienda, la búsqueda del placer, el caos de este mundo, todo conducirá a recibir el "sello de Dios," o "la marca de la bestia."

Espíritus de demonios saldrán a engañar al mundo entero. Aquellos que hagan de la palabra de Dios su guía no caerán en este engaño mundial. Ellos descubrirán la verdad acerca del día santo de Dios y lo observarán con obediencia y gratitud —aun cuando estén encarando la burla y la muerte.

Entonces, cuando todo se haya decidido (lo cual no tardará), el fin del tiempo de gracia vendrá, y Jesús pronunciará la más solemne de las sentencias:"El que es injusto, sea injusto todavía; y el sucio ensúciese todavía. Y el que es justo, sea todavía justificado; y el que es santo, sea santificado todavía." Apocalipsis 22:11.

Cada caso ha sido decidido para vida o para muerte. Entonces —las siete terribles plagas postreras de Apoclipsis 16 caerán sobre los malos y un conflicto mundial ocurrirá durante la sexta plaga.

No importa de qué forma vea usted ésto, hay una gran crisis que se está acercando a nuestro mundo.

Este conflicto mundial no se habrá de comparar con nada que usted haya alguna vez soñado —la mente más creativa nunca se lo ha podido imaginar.

¿A qué se parecerá?

EL CONFLICTO MUNDIAL 7

Shakespeare escribió:

"Hay que cruza todo sendero, línea intangible a nuestra mira, un límite oculto que es el lindero entre de Dios la paciencia, y su ira."

"Una gran crisis le espera al pueblo de Dios. Una crisis espera al mundo. La lucha más trascendental de todos los tiempos está ante nosotros."[1] "Y en aquel tiempo se levantará Miguel, el gran Príncipe que está por los hijos de tu pueblo; y será tiempo de angustia, cual nunca fue después de que hubo gente hasta entonces; mas en aquel tiempo será libertado tu pueblo, todos los que se hallaren escritos en tu libro." Daniel 12:1.

Cuando haya sido dada por completo la gran advertencia de Apocalipsis 14:9,10 en contra de recibir la marca de la bestia, y cada persona se haya decidido, se cerrará el tiempo de gracia. El pueblo de Dios habrá recibido el derramamiento del Espíritu Santo— "el refrigerio de la presencia del Señor," y se encontrará preparado para la prueba que le espera. El está sellado con el "Sello del Dios Vivieinte." Los malos son dejados finalmente con el maestro que ellos han elegido. Ellos habrán rechazado la misericordia de Dios, odiado su tierno amor, y pisoteado su ley. Ahora, desamparados ante la ira de Satanás, no tienen protección contra su poder. El entonces atacará al mundo entero con el gran engaño del cual habla Daniel en el capítulo 12. La ira de Dios derramada sobre este planeta vendrá en forma de las siete plagas postreras, como lo menciona Apocalipsis 16. Así como las 10 plagas de Egipto fueron contra los dioses que ellos adoraban, así las siete últimas plagas caerán especialmente sobre aquellos que adoran a la bestia y a su imagen.

A medida que estudiamos este tema estupendo y tratamos de ver el cuadro completo, descubrimos que Dios es tan justo, tan amoroso; y aquellos sobre los que caen las plagas son tan desobedientes, e ingratos sin santidad, que nadie en el universo entero acusará a Dios de ser injunsto por juzgarlos de esta manera. Después de las primeras tres primeras plagas debastadoras se escucha a un ángel decir: ''Justo eres tú, oh Señor, que eres y que eras, el Santo, porque haz juzgado estas cosas. Porque ellos derramaron la sangre de los santos y los profetas, también tú les has dado a beber sangre; pues lo merecen.'' Apocalipsis 16:5,6.

La desafiante ley contra el cielo ha sido dictada, y los obedientes hijos de Dios son perseguidos, burlados y sentenciados a muerte, y ahora: ''Y oí una gran voz del templo, que decía a los siete ángeles: Id, y derramad las siete copas de la ira de Dios sobre la tierra.

''Y fue el primero, y derramó su copa sobre la tierra; y vino una plaga mala y dañosa sobre los hombres que tenían la señal de la bestia, y sobre los que adoran su imagen.'' Apocalipsis 16:1,2.

¿Puede imaginarse llagas sobre su cuerpo?

Note que esas dolorosas llagas o úlceras afligirán solamente a quienes tengan la marca de la bestia y adoren a su imagen. ¿Cómo irá a ser cuando esto suceda?

¿Puede usted imaginarse las noticias vespertinas informando sobre la escandalizante historia de esta epidemia? Miles de personas que recibieron la ''marca'' con el propósito de salvar sus empleos y tener las comodidades de la vida, ¡descubren ahora que sus comodidades han desaparecido!

En lugar de que ésto les lleve a arrepentirse, y a pedir a Dios en oración el perdón, estas terribles llagas sólo producen en ellos ira y ''blasfemia contra Dios'' y el ''crujir los dientes de dolor.''

Dios sabe que si él les diera un millón de años más, ellos no cambiarían. Cuando las plagas comiencen a caer, entonces sabremos que cada caso ha sido decidido para la eternidad. La ciencia médica será incapaz de ayudarlos. ¿Se pueden imaginar los hospitales y las clínicas, llenos con todas estas víctimas? ¿Qué medicina podrá curarlos?

No todos tendrán que sufrir estas horribles llagas. Aquellos que fueron perseguidos y burlados, ahora estarán a salvo. Los ángeles de Dios los protegerán, ellos han sido obedientes, fieles, y han amado al Señor de tal manera que estuvieron dispuestos a morir, pero ahora Jesús ya está muy cerca de ellos. Aunque ellos sean sentenciados a muerte, los hijos de Dios no morirán. Jesús se interpondrá para salvarlos. Mientras que los pecadores perecen, el pueblo de Dios estará refugiado bajo la sombra de su mano .

¡De repente se deja oir la noticia —el agua se ha convertido en sangre!

"Y el segundo ángel derramó su copa sobre el mar, y se convirtió en sangre como de un muerto; y toda alma viviente fue muerta en el mar." Apocalipsis 16:3. Bajo la tercera plaga también los ríos se convierten en sangre. La palabra "alma" quiere decir "creatura viviente."

¿Ha mirado usted la sangre de un hombre muerto? Esta sangre se coagula y se torna putrefacta, como una masa gelatinosa. Aquellos que han perseguido a los hijos de Dios, también intentarán derramar su sangre, pero, ahora imaginémoslos buscando agua, para encontrar sólo "sangre" como de un hombre muerto.

"Y oí a otro del altar, que decía: Ciertamente, Señor Dios Todopoderoso, tus juicios son verdaderos y justos." Apocalipsis 16:7

¡Mire a los mares! Los hombres están llenos de terror. ¿De dónde beberán? Ellos han tratado de derramar la sangre de los obedientes, pero ahora tienen sangre para tomar.

Ahora algo increíble ocurre, la capa atmosférica que protege la tierra del calor abrasador deja de funcionar.

"Y el cuarto ángel derramó su copa sobre el sol; y le fue dado quemar a los hombres con fuego. Y los hombres se quemaron con el grande calor, y blasfemaron contra el nombre de Dios, que tiene potestad sobre estas plagas, y no se arrepintieron para darle gloria." Apocalipsis 16:8, 9.

Terrible dolor es que que ahora experimentan los impíos. La capa atmosférica que nos protege contra los rayos del sol, ahora falla. La combinación del sol quemante y las llagas vivas producen un dolor agudísimo.

Los milagros abundarán, como en los días de Moisés; algunos serán milagros divinos y otros satánicos. Los pecadores no podrán discernir que el enemigo ha falsificado los dones espiriuales. Muchos que han hecho milagros y realizado obras maravillosas, han pisoteado el sábado de Dios, y perseguido a aquellos que lo han honrado. Ellos se sienten seguros con el favor de Dios, pero ahora su ira es grande. Jesús dijo: "No todo el que me dice: Señor, Señor, entrará en el reino de los cielos; mas el que hiciere la voluntad de mi Padre que está en los cielos. Muchos me dirán en aquel día: Señor, Señor, ¿no profetizamos en tu nombre, y en tu nombre lanzamos demonios, y en tu nombre hicimos muchos milagros? Y entonces les protestaré: Nunca os conocí; apartaos de mí, obradores de maldad." Mateo 7:21-23. Su verdadero carácter ahora es revelado. Ellos "blasfeman contra Dios y no se arrepienten."

Los aires acondicionados no serán de ninguna ayuda —dado el intenso calor. Los grandes edificios serán como hornos. Los impíos no encontrarán alivio en ningún lugar.

Esta plaga le va perfectamente bién al pecado de estas gentes. Ellos han honrado el "día del sol" de acuerdo a la tradición de los hombres, y ahora el Señor les da el sol. La nueva versión inglesa dice que los hombres fueron "quemados horriblemente" durante la cuarta plaga.

En ese día muchos desearán el favor de Dios, el cual durante toda su vida rechazaron.

Los hijos fieles de Dios estarán protegidos en lugares desolados, pero él, que proveyó alimento al profeta Elías en el desierto, también lo proveerá a ellos. Mientras los malos estén rodeados de pestes, los ángeles estarán protegiendo a los hijos de Dios y supliendo todas sus necesidades. La promesa del Señor dice: "Este habitará en las alturas, baluarte de roca será su lugar de refugio; se le dará su pan, y sus aguas serán seguras. Yo Jehová los oiré, Yo el Dios de Israel no los desampararé." Isaías 33:16; 41:17.

Mientras los desobedientes estén padeciendo y sufriendo las consecuencias de sus maldades, la promesa de Dios para los fieles es: "Jehová es tu guardador, Jehová es tu sombra a tu mano derecha. El sol no te fatigará de día, ni la luna de noche. Jehová te guardará de todo mal. El guardará tu alma." Salmos 121:5-7.

61

Al decidir honrar a la bestia y recibir su marca, en lugar de honrar a Dios y recibir su sello, las gentes eligen así las tinieblas. De nuevo, Dios les da a ellos lo que ha sido su elección.

"Y el quinto angel derramó su copa sobre la silla de la bestia; y su reino se hizo tenebroso, y se mordían sus lenguas de dolor." Apocalipsis 16:10, 11.

¿Se lo puede imaginar? La mente humana es inadecuada para concebir el horror que envolverá a toda la humanidad. Gentes de la alta sociedad, los ricos, los hombres de ciencia, las grandes masas de gente ignorante, todos estarán paralizados por el dolor, el odio y el pánico. La sociedad será un caos total. Acerca de estas calamidades la Biblia dice: "El campo fue destruido, enlutóse la tierra; porque el trigo fue destruido, se secó el mosto, perdióse el aceite... secáronse todos los árboles del campo; por lo cual se secó el gozo de los hijos de los hombres." Joel 1:10-12; 17-20. Si tan sólo hubiesen respondido al amor de Dios. Sus brazos estaban extendidos llenos de amor. Pero ahora es demasiado tarde.

Los desobedientes han decretado que los fieles no pueden comprar ni vender. Pero ahora ellos son los que sufren hambre y agonía. Esta oscuridad sobrenatural es un símbolo de la gran oscuridad que ha llegado al mundo, y la mente de aquellos que han rechazado la luz verdadera.

El pueblo de Dios aún estará escondido. Semanas atrás perdieron sus trabajos, sus hogares, y tuvieron que huir por sus vidas delante de hombres insanos movidos por los líderes religiosos y ángeles malos. Ellos prefirieron abandonarlo todo por amor a Cristo. Ellos han contemplado a los malos que perecen mientras los ángeles de Dios proveen el alimento para ellos. La promesa para los fieles es: "Se le dará su pan, y sus aguas serán ciertas." Isaías 33:16. "Caerán a tu lado mil, y diez mil a tu diestra; mas a ti no llegará. Ciertamente con tus ojos mirarás, y verás la recompensa de los impíos... No te sobrevendrá mal, ni plaga tocará tu morada." Salmos 91:3-10.

Cuando la quinta plaga aparezca, todo el mundo estará realmente airado contra los fieles. ¡Acusarán a los que guardaron el sábado como los culpables de todas las calamidades, y decidirán borrarlos de la tierra!

Se fija la fecha. ¡Cuando el reloj marque la media noche de una fecha dada, ¡los fieles hijos de Dios serán sentenciados a muerte!

Pareciera que la suerte del pueblo de Dios está decidida. Día y noche piden al Señor que los libere de la destrucción. ¿Se habrá olvidado el Señor de su pueblo? Es esta mismísima experiencia la que los prepara para el cielo como ninguna otra cosa podría hacerlo.

En medio del caos, el sexto ángel derrama su copa: "Y el sexto ángel derramó su copa sobre el gran río Eufrates; y él se secó, para que fuese preparado el camino de los reyes del oriente. Y vi salir de la boca del dragón, y de la boca de la bestia, y de la boca del falso profeta, tres espíritus inmundos a manera de ranas. Porque son espíritus de demonios, que hacen señales, para ir a los reyes de la tierra en todo el mundo, congregarlos para la batalla de aquel gran día del Dios Todopoderoso... Y los congregó en el lugar que en hebreo se llama Armagedón." Apocalipsis 16:12-14, 16.

Aquí es donde los espíritus de demonios, por medio de sus milagros, preparan a los gobernantes y a las gentes de todo el mundo, y los congregan para pelear contra Dios y su pueblo. Este es el conflicto mundial. Esta es la batalla del Armagedón. Es la última batalla entre las fuerzas del bien y del mal. Todos ya habrán tomado su decisión. Los malos son la mayoría, y al parecer tienen mayor ventaja como David contra Goliat.

La palabra "Armagedón" está formada por dos palabras que vienen del hebreo: "Har" y "Megidon." Esta no es una batalla peleada en el valle del Megido, en forma local. La palabra "Har" quiere decir "Montaña." "Armagedón" es la palabra para describir la gran batalla universal donde los malos pelean contra Dios y su pueblo fiel. Esta es una batalla mundial. La ley dominical nacional de los Estados Unidos estará pronto en todo el mundo. Esta ley busca eliminar en un día a esta secta odiada.

Cuando la gran coalición "cristiana," corrupta, y mundial llegue al punto donde (entre engaños satánicos y mentiras) hace que los líderes (los reyes de la tierra) decreten que todos aquellos que no estén dispuestos a acatar esta ley dominical sean sentenciados a muerte, esta situación llevará al mundo al punto en el cual estará sellando su propia condena.

El pueblo de Dios, algunos todavía en prisión, algunos ocultos en los bosques y montañas, suplican aún por la protección de Dios, mientras compañías de hombres armados, instigados por ángeles malos, se están preparando para ejecutar la sentencia de muerte. Es ahora, —en la hora más oscura, cuando el Dios de Israel se interpondrá para liberar a su pueblo fiel.

La fecha ha sido fijada para dar el golpe decisivo una noche y eliminar a la secta odiada de la faz de la tierra. A la media noche se lleva a cabo el decreto. A la media noche, el Dios Todopoderoso del cielo y de la tierra se interpondrá para salvar a su pueblo.[2]

Veamos lo que sucede:

"Y el séptimo ángel derramó su copa por el aire; y salió una gran voz del templo del cielo, del trono, diciendo: Hecho es. Entonces fueron hechos relámpagos y voces y truenos; y hubo un gran temblor de tierra, un terremoto tan grande, cual no fue jamás desde que los hombres han estado sobre la tiera. Y la gran ciudad fue partida en tres partes, y las ciudades de las naciones cayeron; y la gran Babilonia vino en memoria delante de Dios, para darle el cáliz del vino del furor de su ira. Y toda isla huyó, y los montes no fueron hallados. Y cayó del cielo sobre los hombres un grande granizo como del peso un talento, (unos 34 kgs) y los hombres blasfemaron a Dios por la plaga del granizo, porque su plaga fue muy grande." Apocalipsis 16:17-21.

BABILONIA LA GRANDE, LA MADRE DE LAS RAMERAS, ha dado a todas las naciones a beber del vino de su mezcla de adoración cristiana y adoración al sol que ella practica. Ahora ella bebe el vino de la ira de Dios.

El intento de Satanás por imponer el decreto de muerte contra los hijos de Dios es el climax de su engaño maestro. Pero Dios se interpone para salvar a los suyos, y ¡qué salvación!

Todo en la naturaleza se vuelve un desbarajuste. Las montañas se sacuden como espigas secas en el viento. Los malos están paralizados y con gran terror miran hacia su alrededor, aturdidos; mientras que los hijos de Dios contemplan con solemne alegría las señales de su salvación. Enormes piedras son lanzadas en todas direcciones y el mar se embate con furia. La tierra se levanta y se hincha. Se agrieta su superficie. Las cadenas montañosas se hunden. Las islas desaparecen.

Las ciudades llenas de pecado, que han venido a ser como Sodoma y Gomorra, son tragadas por grandes olas. Gran tormenta de granizo, cada uno como del peso de un talento (como 63 libras o casi 34 kgs.) hace estragos y desastres. Usted puede ver que estos, como balas de cañón, golpearán a las ciudades impías hasta su total destrucción.

Las espléndidas mansiones eregidas por los ricos a costa de los más pobres, se derrumban y caen ante sus ojos. Las paredes de las prisiones se tambalean y se abren, y los humildes creyentes de Dios, que han sido encarcelados a causa de su fe, quedan libres.

Es imposible describir el terror y la desesperación de quienes han pisoteado los requerimientos de Dios... Los enemigos de su ley, los falsos ministros, tienen ahora un nuevo concepto de lo que es la verdad, ¡demasiado tarde! Ahora ellos comprenden que el sábado del cuarto mandamiento ¡es el sello del Dios viviente! Muy tarde se dan cuenta de la verdadera naturaleza del sábado falsificado que la Iglesia Romana les ha dado y la falsa base en la que ellos han construido. ¡Se dan cuenta que estaban perdidos! Eligieron el camino fácil y popular y recibieron la marca de la bestia. Ellos han seguido a sus gobernantes y no a la clara palabra de Dios. Pensaron que la mayoría no podía estar equivocada; y ahora se vuelven a sus ministros y amargamente les reprochan por su triste estado.[3]

El conflicto mundial ha preparado el camino para la segunda venida de Cristo y su poderoso ejército de ángeles para la última plaga.

¡Y aparece en el cielo una nube que anuncia la venida del "Rey de Reyes y Señor de Señores"! En solemne silencio el pueblo de Dios contempla como ésta se acerca más y más a la tierra. Brillante, deslumbrante, se hace más y más gloriosa, hasta que se vuelve una gran nube blanca y su gloria es como fuego consumidor. Jesús está sentado sobre ella y viene esta vez como fuerte conquistador. "Y los ejércitos que están en el cielo le seguían..." Apocalipsis 19:11, 14. Todo el cielo parece lleno de deslumbrantes figuras - "diez mil veces diez mil, y miles de miles." ¡Ninguna pluma puede describirlo! Ninguna mente humana es capaz de imaginar la increíble escena cuando la vívida nube se acerca, y se acerca...¡Todo ojo contempla la figura de Jesús! No hay corona de espinas en su santa sien, sino una corona de gloria que siñe su cabeza. Su cara es brillante, más brillante que el sol en su plenitud.

"Y en su vestidura y en su muslo tiene escrito este nombre: REY DE REYES Y SEÑOR DE SEÑORES." Apocalipsis 19:16.

Cuando el Rey de Gloria desciende sobre la nube en su excelente majestad, envuelto en llamas de fuego, la tierra tiembla y las mismas montañas se mudan de su fundación. "Vendrá nuestro Dios, y no callará. Fuego consumirá delante de él, y en derredor suyo habrá tempestad grande. Convocará a los cielos de arriba, y a la tierra, para juzgar a su pueblo." Salmos 50:3,4.

"Y los reyes de la tierra, y los príncipes, y los ricos, y los capitanes, y los fuertes, y todo siervo y todo libre, se escondieron en las cuevas y entre las peñas de los montes. Y decían a los montes y a las peñas: Caed sobre nosotros, y escondednos de la cara de aquel que está sentado sobre el trono, y de la ira del Cordero. Porque el gran día de su ira es venido, ¿y quién podrá estar firme? Apocalipsis 6:15-17.

Los labios bromistas, maldicientes, y mentirosos ahora están en silencio, y en medio de su terror los malos escuchan la voz de los hijos de Dios quienes exclaman triunfantemente. "He aquí éste es nuestro Dios, le hemos esperado, y nos salvará..." Isaías 25:9.

Mientras la tierra se tambalea como un borracho; entre el terrible estruendo del trueno y los trastornos de la naturaleza, la voz del Hijo de Dios llama a sus fieles de todas las edades de sus tumbas. "Porque el mismo Señor con aclamación, con voz de arcangel, y con trompeta de Dios, descenderá del cielo; y los muertos en Cristo resucitaran primero. Luego nosotros, los que vivimos, los que quedamos, juntamene con ellos seremos arrebatados en las nubes a recibir al Señor en el aire, y así estaremos siempre con el Señor." 1 Tesalonicenses 4:16, 17. Los hijos de Dios serán transformados "en un momento, en un abrir de ojo." 1 Corintios 15:51, 52. Aquellos que han sido levantados de sus tumbas, y los vivos que han sido transformados, serán "arrebatados para recibir al Señor en el aire" (1 Tesalonicenses 4:16). Los ángeles, "juntarán sus escogidos de los cuatro vientos, de un cabo del cielo hasta el otro." "Santos ángeles llevan niñitos a los brazos de sus madres. Amigos, a quienes la muerte tenía separados desde largo tiempo, se reúnen para no separarse más, y con cantos de alegría suben juntos a la ciudad de Dios"[4]

¡Qué salvación! ¡Qué Salvador!

Sinceramente creo que no hay manera de que al leer estas verdades de la Palabra de Dios, usted no experimente un profundo deseo de seguir a Cristo en toda la extensión de la palabra y tener parte en su Reino glorioso. Yo sé que usted nunca hubiera leído este libiro hasta aquí, si no tuviera un verdadero interés en conocer la verdad y seguir a Jesús sin vacilación.

Usted ha conocido algunas de las tácticas de Satanás, y cómo él estafará al mundo haciéndole aceptar su más grande engaño. Usted ha conocido sus más grandes engaños, cómo librarse de recibir la marca de la bestia, y algunas de las grandes verdades del amor y misericordia de Dios manifestadas en su Palabra. Ahora usted sabe que la mujer corrupta de Apocalipsis 17, llamada "Babilonia," es el gran cuerpo de cristianos caídos, el cual tiene una mezcla de la verdad y las prácticas de la adoración al sol de la antigua Babilonia. Usted puede ver en Apocalipsis 18:4, que cuando Dios dice: "Salid de ella, pueblo mío, para que no seáis participantes de sus pecados, y no recibáis de sus plagas," ¡es él que lo está llamando a usted! Es una llamada de amor. Usted puede ver que ésta es la última llamada de Dios a todos los creyentes que han nacido de nuevo para que se separen de esas organizaciones. No importa cuánto signifiquen para uno, ni cuán amistosos sean sus miembros, ya que ellos no están obedeciendo a Dios ni guardando sus mandamienetos.

Muy pronto todos habrán hecho su elección por el "sello de Dios," o por la "marca de la bestia." Esto no es sólo un asunto de dos días, es un asunto de adoración, de lealtad a Dios, o al poder de la bestia. Ahora —mientras Jesús está intercediendo con su sangre por nosotros en el lugar santísimo en el cielo; ahora, cuando "la hora de su juicio ha llegado" (Apocalipsis 14:7), antes de que nuestro tiempo de gracia se acabe para siempre, antes de que cada caso haya sido decidido para vida o para muerte—aún ahora, Jesús nos está invitando a rendirle todo a él y a tener vida y paz. Pronto será demasiado tarde.

Puesto que el amoroso Jesús derramó su preciosa sangre por mí en la cruz del Calvario, yo elijo, por la gracia de Dios, seguirle a él y guardar todos sus mandamientos, incluyendo su séptimo día, sábado, y recibir el "sello del Dios viviente." ¿Y usted? ¿Eligirá serle fiel también? Yo quiero vivir con él cuando venga pronto. ¿Y usted? El dice: "Bienaventurados los que guardan sus mandamientos, para que su potencia sea en el árbol de la vida, y que entren por las puertas en la ciudad." Apocalipsis 22:14.

Muchos, hoy en día, están hambrientos y sedientos de la verdad. Los que son honestos no están conformes con la mezcla de error y verdad. Ellos quieren la verdad "pura." Los errores que se predican desde el púlpito no son aceptados ya. Creo sinceramente que usted es uno de los buscadores honestos de la verdad, porque de otra manera no hubiera leído hasta aquí, buscando conocer la voluntad de Dios.

Hay otras preguntas mayores que vienen a nuestras mentes: ¿Qué hay acerca del reino milenario de Cristo? ¿Cuál es el pecado imperdonable? ¿Cómo podemos librarnos del peso de nuestra culpa para llegar a tener paz mental? ¿Por qué hay tantas denominaciones?

No hay espacio en esta pequeña obra para responder a éstas y a otras preguntas que usted seguramente tiene. Por esta razón pongo a su disposición un segundo libro titulado *El conflicto de los siglos*. Este fascinante libro le responderá estas y otras preguntas y le ayudará a hacer una preparación correcta y adecuada para la segunda venida del Señor Jesucristo. En *El conflicto de los siglos* usted podrá conocer por qué se permitieron el pecado y el sufrimiento, quiénes son los ángeles, y más sobre las asechanzas del enemigo, Satanás. Usted será capaz de descubrir si existe o no alguna organización que realmente siga los requerimientos necesarios para que un grupo constituya la "iglesia remanente" de Apocalipsis 12:17. A usted le gustará descubrir más sobre cómo será el cielo y acerca del gran derramamiento del Espíritu Santo. *El Conflicto de los siglos* no lo encontrará en las librerías comunes. Si usted desea obtener una copia de este libro, de lo más intrigador, llene la forma de pedido en la página siguiente, y pídalo inmediatamente.

¡Que Dios le bendiga ricamente y a los suyos al continuar estudiando la santa Palabra de Dios! "La gracia de nuestro Señor Jesucristo sea con todos vosotros. Amén."

Amazing Truth Publications
P.O. box 68
Thompsonville, IL 62890

Envieme por favor *La Gran Controversia*
Estoy incuyendo $5.00

Name _____

Address _____

City _____, State _____ Zip _____

Ley Dominical Nacional
forma de pedido

Deseo la cantidad siguiente del libro *Ley Dominical Nacional* al descuento especial. El postal esta gratis.

	Quantity	amount
1-3 books @ $5 each	___	___
4-14 books @ $3 each	___	___
15-99 books @ $1 each	___	___
100 books @ 70¢ each	___	___
1000 books @ 50¢ each	___	___
	Total =	___

Haga su cheque a: Amazing Truth, P. O. Box 68, Thompsonville, IL. 62890.

Name _____

Address _____

City _____, State _____ Zip _____

The author may be contacted at this same address.

Apéndice

1-12

Apéndice 1

Para el año 476 D.C., el Imperio Romano ya había sido dividido en diez reinos exactamente.

"El Historiador Machiavelli, sin hacer la más mínima referencia a esta profecía, da la siguiente lista de naciones que ocuparon el territorio del Imperio del Oeste en el tiempo de la caída de Rómulo Augusto (476 D.C.), el último emperador de Roma; los lombardos, los francos, los burgundios, los ostrogodos, los visigodos, los vándalos, los hérulos, los suevos, los hunos, y los sajones: diez en total.

Nunca han vuelto a unirse en un sólo imperio desde la desintegración de la antigua Roma; nunca han formado uno entero aunque sea como los Estados Unidos. Ningún proyecto que con orgullosa ambición busque la reunificación de los fragmentos rotos ha resultado exitoso; cuando tales proyectos han surgido, han sido despedazados sin exepción alguna.

"Y la división es tan evidente ahora como lo ha sido siempre. Está palpable en el mapa de la Europa de nuestros días, y confronta a los escépticos con su silencioso pero decisivo testimonio en el cumplimiento de esta gran profecía. "The Divine Program of the World's History, [El programa divino de la Historia Mundial]" por H. Grattan Guenness, págs. 318-321.

Apéndice 1A

La "BESTIA" y el "CUERNO PEQUEÑO"

1) El "cuerno pequeño" tiene los "ojos como ojos de hombre." Daniel 7:8.
"La bestia" tiene el "número de hombre." Apocalispsis 13:18.

2) "El cuerno pequeño" "a los santos del Altíismo quebrantará." Daniel 7:25.
La "bestia" también "hace guerra contra los santos." Apocalipsis 13:7.

3) El "cuerno pequeño" habla "palabras contra el Altísimo." Daniel 7:25.

La "bestia" también "abrió su boca en blasfemias contra Dios." Apocalipsis 13:6.

4) El "cuerno pequeño" sale de en medio de los diez cuernos (diez divisiones de Roma) Daniel 7:8.

La "bestia" recibe su "poder, trono, y grande potestad" de Roma (después de la formación de las diez divisiones) Apocalipsis 13:2.

71

Apéndice 2

Los 1260 años de reinado de la bestia

Los siete versículos que mencionan el período de los 1260 años hablan acerca del mismo poder que persigue al pueblo de Dios. Son los siguientes versículos: Apocalipsis 13:5; Apocalipsis 11:2; Daniel 7:25; Apocalipsis 12:14; Apocalipsis 11:3; Apocalipsis 12:6 y Daniel 12:7.

La "llave" que abre el tiempo en las profecías, es el principio dado en Ezequiel 4:6 y Números 14:34. Estos versículos nos enseñan que un día en profecía es igual a un año literal. Por esta razón, el tiempo profético debe ser dividido en días. Empleando esta "llave" bíblica, las profecías que involucran tiempo se resuelven perfectamente y llegan a ser facilmente comprensibles.

Un mes bíblico equivale a 30 días. Un año contiene 360 días. Esta es pues la fórmula para comprender el tiempo profético.

En Apocalipsis 11:2 y Apocalipsis 13:5 el tiempo dado son 42 meses. En Daniel 7:25 y Apocalipsis 12:14, el tiempo dado es "tiempo, tiempos, y medio tiempo." Esto equivale a 3 ½ tiempos. De Daniel 4 aprendemos que el "tiempo" equivale a un año literal. En el capítulo encontramos que el rey Nabucodonosor perdió el juicio como lo había predicho Daniel, y anduvo como bestia en el campo por "siete tiempos." El estuvo en esa condición durante 7 años literales. Por lo tanto 3 ½ tiempos equivalen a 3 ½ años. 3 ½ años contienen 1260 días.

Apocalipsis 11:3 y 12:6 señalan claramente el tiempo de 1260 días (durante el cual la bestia perseguiría al pueblo de Dios).

Apéndice 2 (Continuación)

Empleando el principio día por año encontrado en Ezequiel 4:6 y Números 14:34, podemos ver que este poder gobernaría por 1260 años antes de recibir la "herida mortal." Cuando vemos el poder de esta bestia, nos damos cuenta que fue eso exactamente lo que sucedió. El hecho de que Dios repita este período de tiempo siete veces de esta manera, muestra la importancia con la cual él lo ve.

Estos son los versículos en secuencia:

Apocalipsis 11:2 y 13:5 describen a este poder gobernando durante 42 meses (42 meses con 30 días por mes equivalen a 1260 días).

Daniel 7:25, 12:7 y Apocalipsis 12:14 describen a la bestia reinando 3 ½ tiempos. 3 ½ años proféticos equivalen a 1260 días.

Apocalipsis 11:3 y 12:6 describen a este poder perseguidor reinando 1260 días.

Cada uno de estos siete textos describe este poder reinando 1260 días proféticos, lo que equivale a 1260 años literales.

Apéndice 3

Las siguientes citas fueron extraídas de obras autorizadas por dignatarios católicos concerniendo al título y posición de su líder.

"Todos los nombres que en la Escritura se aplican a Cristo, en virtud de los cuales se reconoce su supremacía sobre la iglesia, se aplican también al papa" Roberto Bellarmino, Disputationes de Controverssis, tomo 2, "Controversia Prima," libro 2 "De Conciliorum Auctoritate," [Sobre la autoridad de los concilios], cap.17, ed.1628, vol.1, pág. 266. Traducción.

"Porque tú eres el pastor, tú eres el médico, tú eres el director, tú eres el labrador; finalmente, tú eres otro Dios en la tierra" (Discurso de Christopher Marcelus en el Quinto Concilio Lateranense, 4a. sesión, en J.D. Mansi, Sacrorum Conciliorum... Collectio, vol. 32, col.761. Traducción).

Para el título "Señor Dios el papa" ver el glosario de las Extravagancias del papa Juan XXII, título 14, cap.4, Declaramus.

En la edición Antwerp de las Extravagancias, las palabras "Dominum Deum Nostrum Papam" (Nuestro Señor Dios el papa) aparecen en la columna 153. En una edición de París, aparecen en la columna 140.

"Por tanto el papa está coronado con una triple corona, como rey del cielo y de la tierra y de las regiones inferiores (infernorum)" (Lucius Ferraris, Prompta Bibliotheca, "papa," art. 2, ed.1772-77, vol. 6. pág. 26. Traducción).

En un pasaje que está incluido en la ley Canónica Católica Romana, El papa Inocencio III declara que el Pontífice Romano es "el vicario sobre la tierra, quien ejerce las funciones no meramente de un hombre, sino del propio Dios;" y en un comentario sobre el pasaje se explica que por ésto es que él es el vicario de Cristo, quien es "Dios y hombre." Ver Decretales Domini Gregorii Papae IX (Decretals of the Lord Pope Gregory IX), liberi, de translatione Episcoporum, (sobre la transferencia de Obispos) título 7, cap.3; Corpus Juris Canonice (2nd Leipzing ed., 1881), col. 99; (París, 1612), vol. 2, Decretales, col. 205.

Apéndice 3 (Continuación)

INFALIBILIDAD

Entre las veintisiete proposiciones conocidas como los "Preceptos de Hildebrando," quien, con el nombre de Gregorio VII, fue papa desde 1073 hasta 1085, figuran las siguientes:

"2.   Que solamente el pontífice romano puede ser llamado con justicia universal.

" 6.   Que ninguna persona... puede vivir bajo el mismo techo con uno que ha sido excomulgado por el papa.

" 9.   Que todos los príncipes deberían besar solamente sus pies [del papa].

"18.   Que su sentencia no puede ser revisada por nadie; mientras que él puede rever las decisiones de todos los demás.

"19.   Que él no puede ser juzgado por nadie.

"22.   Que la Iglesia Romana nunca erró, ni nunca errará, de acuerdo con las Escrituras.

"27.   Que él puede absolver a los súbditos de su alianza con gobernantes perversos" (César Baronio, *Annales*, año 1076, secc. 31-33, vol.17, ed. 1869, págs. 405, 4006. Traducción).

En el <u>Comentary</u> [Comentario] de Adam Clarke sobre Daniel 7:25 dice:

"Ellos se arrogaron la infalibilidad, facultad que pertenece solamente a Dios. Pretenden perdonar pecados, facultad que pertenece solamente a Dios." Tomado de <u>Las hermosas enseñanzas de la Biblia</u>, págs. 221 y 222.

Apéndice 4

La Biblia queda prohibida

En el Concilio de Toulouse, los líderes religiosos concluyeron: "Les prohibimos a los laicos poseer copias del Antiguo y Nuevo Testamento... Les prohibimos severamente poseer los libros mencionados en el idioma vernacular." "Los Señores de cada distrito buscarán cuidadosamente a los herejes en sus escondites, ya sean chozas, o bosques, o aun en escondites subterraneos y deberán ser totalmente eliminados." Concilio Tolosanum, papa Gregorio IX, Anno. Chr. 1229.

El Concilio Eclesiástico de Tarragona concluyó: "Nadie puede poseer los libros del Antiguo y Nuevo Testamento en el lenguaje Romance, y si alguien los posee debe entregarlos al obispo local en el lapso de 8 días a partir de la promulgación de este edicto, para ser quemados." D. Lortsch, Histoire de la Bible en France [Historia de la Biblia en Francia], 1910, pág.14.

Después de haberse formado las Sociedades Bíblicas fueron clasificadas con el comunismo en un edicto sorprendente. El 8 de diciembre de 1866., el papa Pío IX, en su Encíclica Quanta Cura hace la siguiente referencia: "El socialismo, el comunismo, las sociedades clandestinas, las sociedades bíblicas... pestes de ésta clase deben ser destruídas a toda costa."

Apéndice 5

"Guerra contra los Santos"

"Bajo estas máximas sangrientas, aquellas persecuciones fueron llevadas cabo, desde los siglos once y doce, casi hasta nuestros días, (escrito en 1845), lo cual permanece en las páginas de la historia. Después de que la señal de martirio abierto había sido dada en los cánones de Orleans, éstas siguieron la extirpación de los albigenses, bajo la forma de una cruzada, el establecimiento de la inquisición, los intentos crueles por extinguir a los valdenses, el martirio de los lolardos, las guerras crueles para exterminar a los bohemios, la hoguera de Huss y Jerónimo, y de multitudes de otros fieles testificadores... la extinción a fuego y espada de la Reforma española e italiana, por fraude y persecución abierta en Polonia, y la matanza de San Bartolomé... además de las muertes lentas y secretas del Tribunal Santo de la Inquisición." T.R. Briks, M.A. The First Two Visions of Daniel, [Las primeras dos visiones de Daniel], Londres: 1845, págs. 258, 259.

"El número de víctimas de la Inquisición en España se da en La Historia de la Inquisición en España, por Llorente, anteriormente secretario de la inquisición, ed. 1827, pág. 583. Esta autoridad reconoce que más de 300,000 sufrieron persecución en España solamente, de los cuales 31,912 murieron en las llamas. Millones más fueron muertos por su fe a lo largo y lo ancho de Europa. Impresa en Las hermosas enseñanzas de la Biblia, Copyright 1982 por Pacific Press Publishing Association, pág. 222.

"La Iglesia ha perseguido. Sólo un tirano en la historia de la Iglesia va a negarlo... ciento cincuenta años después de Constantino, los donatistas fueron perseguidos y en ocasiones les fue dada muerte... Los protestantes eran perseguidos en Francia y España con la aprobación total de las autoridades religiosas... Cuando ella piense que es bueno emplear la fuerza, ella la usará." The Western Watchmen (católico romano), de San Luis.

Apéndice 6

Edicto contra los valdenses

"El texto completo del expedido, en 1487, por Inocencio VIII contra los valdenses (cuyo original se halla en la biblioteca de la Universidad de Cambridge) puede leerse en latín y francés en la obra de J. Léger, *Historie des églises vaudoises*, lib. 22, cap. 2, págs. 8-10 (Leyden, 1669)." (Tomado de El conflicto de los siglos) (Pacific Press Publishing Association, 1958, Mountain View, California, pág.743).

En inglés buscar John Dowling's History of Romanism (1871 ed.), libro 6, cap., 5; secc.62

Apéndice 7

Imágenes

El segundo Concilio de Nicea, 787 D.C., fue convocado para establecer la adoración de imágenes en la iglesia. Este concilio está registrado en Anales Eclesiásticos, por Baronius, Vol. 9 págs. 391-407. (Antwerp, 1612); y en A History of the Counsils of the Church from the Original Documents [Una historia de los concilios de la iglesia de sus documentos originales], por Carlos J. Hefele, libro 18, cap.1, secc. 332, 333; cap.2, secc.345-352 (T.y T. Clark, ed. 1896), vol. 5, págs. 260-304 y 342-372.

J. Mendham, en The Seventh General Council, the Second of Nicea, [El séptimo Concilio General, el segundo de Nicea], Introducción, págs. iii-vi, dice: "La adoración de imágenes... fue una de aquellas corrupciones del Cristianismo que se introdujo silenciosamente y firmemente sin ser percibida u observada. Esta corrupción no se desarrolló, como las otras herejías, por sí misma y de repente, porque de haber sido así, hubiera enfrentado censura y rechazo."

"Las imágenes fueron introducidas a las iglesias, no para ser adoradas, sino para tomar el lugar de los libros, para dar instrucción a aquellos que no sabían leer, o para estimular devoción en las mentes de otros... pero fue encontrado que las imágenes traídas a la iglesia obscurecían las mentes de los ignorantes en lugar de iluminarlas, degradaban en lugar de exaltar la devoción del adorador."

Apéndice 8

El cambio de la ley Divina

"Aunque los diez mandamientos, la ley de Dios, se hallan en las versiones católicas romanas de las Escrituras, como fueron dados originalmente, a los fieles se los instruye con los catecismos de la iglesia, y no directamente con la Biblia. Como estos aparecen allí, la ley de Dios ha sido cambiada y virtualmente reestatuída por el papado.

El segundo mandamiento, que prohíbe hacer imágenes, e inclinarse ante ellas, está omitido en los catecismos católicos, y el décimo, que prohíbe codiciar, está dividido en dos." Las hermosas enseñanzas de la Biblia, Copyright 1982 por Pacific Press Publishing Association, pág. 223.

En la página siguiente encontramos la ley como fue dada por Dios, y como ha sido cambiada por el hombre.

LA LEY DE DIOS

COMO DIOS LA DIO

I
No tendrás otros dioses delante de mí.

II
No harás para ti imagen de escultura, ni figura alguna de las cosas que hay arriba en el cielo, ni abajo en la tierra, ni de las que hay en las aguas debajo de la tierra. No te postrarás ante ellas, no las servirás, porque yo, el Señor, tu Dios soy un Dios celoso que castigo la maldad de los padres en los hijos hasta la tercera y cuarta generación de aquellos que me aborrecen; y que uso de misericordia hasta la milésima generación con los que me aman y guardan mis mandamientos.

III
No tomarás en vano el nombre del Señor tu Dios, porque no dejará el Señor sin castigo al que tomare en vano el nombre del Señor Dios suyo.

IV
Acuérdate de santificar el día de sábado. Los seis días trabajarás y harás todas tus labores. Mas el día séptimo es sábado, consagrado al Señor, tu Dios. Ningún trabajo harás en él, ni tú, ni tu hijo, ni tu hija, ni tu criado, ni tu criada, ni tus bestias de carga, ni el extranjero que habita dentro de tus puertas. Por cuanto el Señor en seis días hizo el cielo, y la tierra, y el mar, y todas las cosas que hay en ellos, y descansó en el día séptimo; por esto bendijo el Señor el día del sábado y lo santificó.

V
Honra a tu padre y a tu madre, para que vivas largos años sobre la tiera que te ha de dar el Señor Dios tuyo.

VI
No matarás.

VII
No fornicarás.

VIII
No hurtarás.

IX
No levantarás falso testimonio contra tu prójimo.

X
No codiciarás la casa de tu prójimo. No desearás su mujer, ni esclavo, ni esclava, ni buey, ni asno, ni cosa alguna de las que le pertenecen.

(Exodo 20:3-17, V.A.)

COMO LA CAMBIO EL HOMBRE

I
Amarás a Dios sobre todas las cosas.

II
No jurarás el nombre de Dios en vano.

III
Santificarás las fiestas.

IV
Honrarás a tu padre y madre.

V
No matarás.

VI
No fornicarás.

VII
No hurtarás.

VIII
No levantarás falso testimonio, ni matarás.

IX
No desearás la mujer de tu prójimo.

X
No codiciarás las cosas ajenas.
(Según el catecismo corriente.)

Apéndice 9

La primera ley dominical

"La primera vez que surgió la observancia del día domingo como un deber legal fue en una Constitución de Constantino en el año 321 D.C. estableciendo que todas las cortes de justicia, habitantes en todos los pueblos y talleres debían estar descansando el domingo (venarabili dies Solis) con la excepción de aquellos que estaban involucrados en trabajos agrícolas." Enciclopedia Británica, edición novena, artículo "Domingo."

El original en Latín está en el Codes Justiniani (Código de Justiniano), Lib. 3, título 12, lex. 3.

La ley es dada en Latín y en el Inglés en The History of the Christian Church, [La historia de la iglesia cristiana], vol.3, 3er período, cap.7, secc.75, pág. 380 de pág.1.

Y en A Manual of Church History, [Un manual de historia eclesiástica], de Albert Henry Neumans, (Philadelphia: The American Baptist Publication Society, 1933) rev. ed., vol.1, págs. 305-307.

Y en The Prophetic Faith of Our Fathers, [La fe profética de nuestros padres], de LeRoy E. Froom, (Washington, D.C.: Review and Herald Pub. Asoc., 1950), vol.1, págs. 376-381.

Apéndice 10

Textos bíblicos sobre el "primer día"

Millones de cristianos fieles asisten a la iglesia cada domingo, el primer día de la semana. Lo hacen creyendo que en algún lado, de algún modo, alguien cambió el día de adoración. Puede ser éso, o no están conscientes de que Dios estableció aparte el día séptimo, y no el primer día de la semana como día santo.

Es cierto, se ha hecho un cambio.

Pero, ¿por quién? Nosotros descubrimos que Dios hizo el sábado durante la primera semana de la creación. Lo apartó para tener una cita semanal, entre Dios y el hombre, como una bendición, descanso, una cita entre dos que se aman, por así decirlo (Dios y el hombre).

Si Dios cambió de opinión acerca de esa cita especial con nosotros, ¿no hubiera registrado ese cambio tan trascendente en la Biblia?

Ya hemos mirado que la bestia con poder declara haber realizado el cambio, ¿pero qué dice la Biblia acerca de éso?

Hay ocho textos en el Nuevo Testamento que mencionan el primer día de la semana. Veamoslos con cuidado:

Mateo 28:1
Marcos 16:1,2
Marcos 16:9
Lucas 24:1
Juan 20:1
Juan 20:19
Hechos 20:7,8
1 Corintios 16:1,2

Los primeros cinco textos sencillamente mencionan que las mujeres fueron te,prano al sepulcro en la mañana de la resurrección de Jesús.

Ahora busque Juan 20:19 en su Biblia. Nos dice que Jesús apareció a los discípulos más tarde en el día de la resurrección. Se dice que el motivo por el cual ellos estaban juntos era ''por miedo de los Judíos ''

Ellos tenían miedo. Ellos no podía decir cuándo los Judíos los tomarían y los tratarían igual que a su Maestro. Ellos estaban escondiéndose.

Ellos habían contemplado a su amado Maestro morir el viernes. Ellos "regresaron, y prepararon especias aromáticas y ungüentos y reposaron el sábado conforme al mandamiento." Lucas 23:56. Y ahora ellos están escondidos "por miedo de los judíos." Juan 20:19.

No se menciona ningún cambio.

El séptimo texto en Hechos 20:7, 8, dice: "Y el primer día de la semana, juntos los discípulos a partir el pan, Pablo les enseñaba, habiendo de partir al día siguiente; y alargó el discurso hasta la media noche. Y había muchas lámparas en el aposento alto donde estaban juntos."

Esta fue una reunión nocturna, la parte oscura del primer día de la semana. En el registro bíblico la oscuridad va antes del día, o luz. Génesis 1:5, "Y llamó Dios a la luz Día, y a las tinieblas llamó Noche. Y fue la tarde y la mañana un día." la parte oscura apareció primero.

La Biblia registra que el día va de puesta de sol a puesta de sol.

El séptimo día inicia a la puesta del sol del viernes. Y el primer día de la semana inicia a la puesta del sol del sábado.

Pablo estaba reunido con sus amigos en la noche del primer día de la semana, sábado de noche. Era una reunión de despedida. El predicó hasta la media noche, cuando el pobre Eutico se cayó de la ventana (Hechos 20:9).

Podemos imaginarnos el alivio que sintieron cuando supieron que Dios le devolvió la vida. El verso once dice que hablaron hasta el amanecer, y entonces Pablo partió. El verso trece dice que Pablo pasó el domingo viajando a Asón.

Aquí tampoco se registra nada que mencione un cambio del sábado.

La Nueva Versión en Inglés traduce este texto:

"El sábado de noche, en la reunión del partimiento del pan, Pablo, quien iba a viajar el próximo día, les habló hasta la media noche." Hechos 20:7.

Apéndice 10 (Continuación)

El último texto que menciona el primer día de la semana es 1Corintios 16:1,2.

Dice: "En cuanto a la colecta para los santos, haced vosotros también de la manera que ordené en las iglesias de Galacia. Cada primer día de la semana cada uno de vosotros aparte en su casa, guardando lo que por la bondad de Dios pudiere; para que cuando yo llegare, no se hagan entonces colectas." El verso cuatro dice que llevaría las ofrendas a Jerusalén.

Como había hecho en Galacia, así también pide Pablo que se haga en Corinto una colecta para los pobres de Jerusalén. El versículo no habla de un servicio de iglesia, sino que "cada uno debía apartar." El principio de la semana era el mejor tiempo para guardar algo de dinero porque después podía ser gastado. ¡Es cierto también en nuestros días! Pablo pidió esto "para que no hubiera colectas cundo él llegara." 1Corintios 16:2.

En esa época los cristianos estaban sufriendo dificultades (estrecheces) en Jerusalén, y Pablo iba por las iglesias haciendo colectas para ellos. (Así deberíamos hacerlo nosotros hoy en día).

En ese texto tampoco aparece nada acerca de un cambio del sábado al domingo hecho por Dios.

Concerniente al culto, ¿cuál era la costumbre de Pablo?

Dice así:

"Y como acostumbraba pablo, fue a la sinagoga, y por tres sábados razonó con ellos de las Escrituras." Hechos 17:2, NRV.

Jesús, como nuestro ejemplo también tuvo la costumbre de asistir a la iglesia en sábado, el séptimo día. Lucas 4:16.

Apéndice 11

La ley ceremonial y los dos pactos

La diferencia entre la ley moral de Dios (los diez mandamientos), y la ley ceremonial es clara.

Veamos con cuidado la diferencia entre ambas. La que concierne a sacrificios de animales fue clavada en la cruz, la otra es eterna.

10 Mandamientos	Ley Ceremonial
1) Llamada "Ley real." Santiago 2:8.	1) Llamada ley de Orden y Ritos. Efesios 2:15.
2) Fue dada por Dios. Deuteronomio 4:12, 13.	2) Fue dada por Moisés. Levítico 1:1-3
3) Fue escrita por Dios. Exodo 31:18	3) Fue escrita por Moisés en un libro. 1 Crónicas 33:12.
4) Fue colocada dentro del arca. Exodo 40:20; Hebreos 9:4.	4) Fue colocada a un lado del arca. Deuteronomio 31:24-26.
5) Es "eterna por siempre." Salmos 111:7,8.	5) Fue clavada en la cruz. Colosenses 2:14.
6) No fue destruída por Cristo. Mateo 5:17,18.	6) Fue abolida por Cristo. Efesios 2:15.

Apéndice 11 (Continuación)

Los dos grandes mandamientos son "Amarás al Señor tu Dios con todo tu corazón, con toda tu alma y toda tu mente." El segundo grande mandamiento es "Amarás a tu prójimo como a ti mismo. Los diez mandamientos divinos están encerrados en estos dos. Los primeros cuatro, de la ley moral, nos hablan del amor que debemos a Dios con todo nuestro corazón. (No tener otros dioses, no adorar imágenes, no tomar el nombre de Dios en vano, y acordarnos del día sábado para guardarlo santo). Los últimos seis, conciernen al amor que debemos dar al prójimo. (Honrar a los padres, no matar, no cometer adulterio, no robar, no mentir, no codiciar).

EL ANTIGUO Y EL NUEVO PACTO

El antiguo pacto fue ratificado por la sangre de un animal (Exodo 24:5-8 y Hebreos 9:19-30) y basado en las promesas del pueblo de que ellos obedecerían la ley de Dios.

El nuevo pacto está basado en la promesa de Dios, en que él escribirá su ley en nuestros corazones y fue ratificada por la sangre de Cristo (Hebreos 8:10 y Jeremías 31:33,34).

Hebreos 8:10: "Por lo cual, este es el pacto que ordenaré a la casa de Israel. Después de aquellos días, dice el Señor: Daré mis leyes en el alma de ellos, y sobre el corazón de ellos las escribiré. Y seré a ellos por Dios, y ellos me serán a mí por pueblo."

Apéndice 12

(NO HAY TIEMPO PERDIDO)

Se requieren exactamente 365 días, 5 horas, 48 minutos, 47.8 segundos para que la tierra gire alreadedor del sol.

Pero no hay forma de colocar estos datos en algún calendario, por lo tanto necesita actualizarse constantemente. Por éso tenemos "años bisiestos." En 1582 descubrieron que el año tiene un poco más de 365 días, y los astrónomos le añadieron 10 días, para poner el mes al día, pero el ciclo semanal no fue alterado. Como se muestra en el calendairo, el jueves 4 fue seguido por el viernes 15. El calendario fue puesto al día pero sin alterar el ciclo semanal.

Por supuesto, aunque tenemos "años bisiestos" a través de las épocas, los días de la semana no han cambiado y ¡ni un minuto se ha perdido en la cuenta!

Han existido varios calendarios antiguos. El primer calendario moderno como lo tenemos hoy día fue suplido en el año 45 A.C. por Julio César. Los nombres de los días como ahora los tenemos fueron usados entonces.

Como los babilonios adoraban a los planetas, muchos empezaron desde entonces a llamar a los días de acuerdo al nombre de los planetas. Los hebreos y la Biblia nunca hicieron ésto. Esta es la razón por la cual, aún cuando los nombres de los días como los tenems hoy, por ejemplo: domingo, lunes, etc., existían alrededor de la época de Cristo, los escritores bíblicos nunca se refirieron a los días usando éstos nombres, puesto que eran de origen pagano. En la antigua religión Mitra, del tiempo de Babilonia y Persia, empezaron a nombrar los días de acuerdo a los planetas. El dios Zoroastro popularizó al dios Mitra en Persia en el año 630 A.C.

Puesto que Mitra era supuestamente un dios de gran coraje, los soldados romanos se convirtieron en adoradores de él. En sus travesías ellos llevaron la idea de nombrar a los días de la semana de acuerdo a los planetas que tenían las tribus teutónicas, lo que hoy se conoce como Alemania. Los teutones sustituyeron algunas de sus propias

Apéndice 12 (Continuación)

deidades por los nombres de planetas de sus días. (Esto fue antes del tiempo de Cristo.) Los nombres fueron aceptados y los tenemos desde entonces. Enseguida tenemos una lista de los dioses teutónicos y los días de la semana.

Los nombres de los dioses teutónicos y sus respectivos días son:

Sun - Sunday - del anglosajón sunnandaeg (sun's day o día del Sol), o del latín dies solis.

Moon - Monday - del anglosajón mondaeg, monandaeg (moon's day o día de la Luna) o del latín lunae dies.

Tiw -Tuesday - del anglosajón Tiwesdaeg (el día de Tiw, antiguo dios teutónico de la guerra.

Woden - Wednesday - del anglosajón wodnesdaeg (woden's day referente a Woden)

Thor - Thursday - del anglosajón Thuresdaeg, también Thunresdaeg, del islandés Thorsdagr (Thor's day referente a Thor - el dios del trueno, y Thunder - trueno).

Frig - Friday - del anglosajón Frigedaeg, Frig, nombre de una diosa teutónica en parte identificada con la Venus romana

Saturn - Saturday - del anglosajón Saeturdaeg, Saeternesdaeg, (Saturn's day - día dedicado a Saturno) o del latín Saturni dies.

Su significado original es la dedicación de un día al Señor en la Iglesia Católica. Enciclopedia Salvat, tomo 4, pág. 1106.

A pesar de que al calendario se lo actualiza constantemente para compensar los 365 días, 5 horas, 48 minutos, 47.8 segundos del año, aún así, la semana de siete días nunca ha sido alterada.

Apéndice 12 (Continuación)

Los historiadores que escribieron antes y en el tiempo de Cristo, se han referido al "día del sol" y al "día saturno." El Dr. W.W. Campbell, director del Observatorio Lick en Monte Hamilton, California nos asegura que:

"La semana de siete días, ha sido empleada desde los días de Moisés, y no tenemos razón para suponer que existieron irregularidades en la sucesión de la semana y sus días, desde ese tiempo hasta el presente." D.W. Cross, Your Amazing Calendar (Taunton, 1972) págs. 6,7.

¡El tiempo se puede rastrear hasta el más mínimio segundo por la posición de las estrellas! Escribí al Pentágono en Washington, D.C., al Departamento de Astronomía, y recibí una respuesta cortés. Me informaron, que de acuerdo a la posición de las estrellas, cada momento se ha registrado y seguido desde el año 500 A.C.

El Dr. J.B. Dibleby, el cronologista más destacado de la Asociación de Cronología y Astronomía Británica, después de años de estudio cuidadoso, asegura: "Si el hombre rehusara observar la semana, y el tiempo fuera olvidado, los días de la semana podrían ser recuperados observando cuándo ocurrieron los tránsitos de los planetas o eclipses de sol o luna. Estos grandes centinelas del cielo mantienen siete días con exactitud científica, confirmando los siete días de las Páginas Inspiradas." - All Past Time, pág. 10.

Es interesante notar cómo el Dr. G. E. Hale, destacado astrónomo de quien el gigantesco telescopio del Monte Palomar recibe el nombre, explica la misma verdad en cinco poderosas palabras: "No se ha perdido tiempo."

BIBLIOGRAFIA

Capítulo 1
1. Vandeman, George, Destination Life, (Mountain View: Pacific Press Pub. Assoc., 1980), p. 74.
2. White, E. G., El conflicto de los siglos, (Mountain View: Pacific Press Pub. Assoc., 1958), pág. 493.
3. White, E. G., El conflicto de los siglos, (Mountain View: Pacific Press Pub. Assoc., 1958), pág. 494.
4. Violence and the Mass Media, (Nueva York: Harper & Row, 1968), pág. 51.
5. Ibid. pág. 43.
6. LIFE enero de 1988, pág. 46
7. Gulley, Norman, Is the Majority Moral?, (Wasington: Review & Herald Pub. Assoc. 1981), pág. 8.
8. Ibid.
9. Ibid. pág. 10.
10. Ibid.

Capítulo 2
1. Smith, U., Daniel and the Revelation, (Nashville: Southern Publishing Assoc., 1944), págs. 42, 43

Capítulo 3
1. Stringfellow, B., All in the Name of the Lord, (Clermont: Concerned Communications Inc., 1981), pág. 124.
2. Citado en Liberty, junio de 1980, pág. 13.
3. White, E. G., El conflicto de los siglos, (Mountain View: Pacific Press Pub. Assoc., 1958), págs. 43-45.

Capítulo 4
1. White, E. G., El conflicto de los siglos, (Mountain View: Pacific Press Pub. Assoc. 1958), pág. 626.
2. The Catholic Church, The Reniassance, and Protestantism, págs. 182-183.
3. White, E. G., Cosmic Conflict, (Washington: Review & Herald Pub. Assoc. 1982), Pág. 78-82.
4. White, E. G., El conflicto de los siglos, (Mountain View: Pacific Press Pub. Assoc., 1958), pág. 84.
5. Catholic Mirror, 23 de septiembre de 1983. (Organo oficial del cardenal Gibbons).
6. Catholic Press, (Sydney, Australia), 25 de agosto de 1900.

Capítulo 5
1. Thomas, H. F., Chancellor of Cardinal Gibbons, en respuesta a una carta con respecto al cambio del sábado.
2. Padre Enright C.S.S.R. del Redemptoral College, Kansas City, Mo., (En History of the Sabbath), pág. 802.

Capítulo 6
1. Stringfellow, B. All in the Name of the Lord, Clermont: Concerned Communications Inc., 1981) págs. 134-135.
2. Catholic Twin Circle, 25 de agosto de 1985, Art. "Sacking Sunday."
3. Liberty Confidential Newsletter, tomo 5, 1982.
4. These Times, abril de 1982, N. Gulley, "Life After Death - What about the New Evidence?"

Capítulo 7
1. Olson, R. W., The Crisis Ahead (Citando Joyas de los Testimonios, tomo 2, pág. 318) (Angwin: Pacific Union College Bookstore, 1981), pág. 5.
2. White, E. G., El conflicto de los siglos, (Mountain View: Pacific Press Pub. Assoc., 1958), pág. 693.
3. Ibid. págs. 697-698.
4. Ibid. pág. 703.